Jean Giono

L'EAU VIVE, II

L'oiseau bagué

Contes

Gallimard

Jean Giono est né le 30 mars 1895 et décédé le 8 octobre 1970 à Manosque, en Haute-Provence. Son père, italien d'origine, était cordonnier, sa mère repasseuse. Après ses études secondaires au collège de sa ville natale, il devient employé de banque, jusqu'à la guerre de 1914, qu'il fait comme simple soldat.

En 1919, il retourne à la banque. Il épouse en 1920 une amie d'enfance dont il aura deux filles. Il quitte la banque en 1930 pour se consacrer uniquement à la littérature après le succès de son premier roman : Colline.

Au cours de sa vie, il n'a quitté Manosque que pour de brefs séjours à Paris et quelques voyages à l'étranger.

En 1953, il obtient le Prix du Prince Rainier de Monaco pour l'ensemble de son œuvre. Il entre à l'Académie Goncourt en 1954 et au Conseil littéraire de Monaco en 1963.

Son œuvre comprend une trentaine de romans, des essais, des récits, des poèmes, des pièces de théâtre. On y distingue deux grands courants : l'un est poétique et lyrique; l'autre d'un lyrisme plus contenu recouvre la série des Chroniques. Mais il y a eu évolution et non métamorphose : en passant de l'univers à l'homme, Jean Giono reste le même : un extraordinaire conteur.

L'HISTOIRE DE MONSIEUR JULES

J'ai connu un homme qui était amoureux des pendules. Ce n'est pas ici que je raconterai son histoire. Il a sa place dans les livres de souvenirs que je veux écrire sur ma vie. Mais, ce que j'ai à dire maintenant, c'est à partir de lui que je vais le dire.

Il avait été professeur d'histoire naturelle. On l'avait chassé de sa place parce qu'il buvait. Il vivait presque par charité dans une petite auberge. Il donnait sa maigre pension, il rendait quelques services : aller chercher de l'eau pour la cuisine, essuyer la vaisselle, soigner les hémorroïdes du patron avec des jus de plantes. En échange, il avait sa chambre et un peu à manger. Il était devenu tout gentiment fou, à force de vivre dans une énorme faim d'eau-de-vie. Il ne pouvait boire qu'à l'automne quand on distillait le marc de raisin sur les boulevards de la ville. En essuyant la vaisselle il s'arrangeait pour mettre un verre dans sa poche, puis, il partait, le soir, et il s'en allait sous les platanes vers le feu des alambics. A ce moment de l'année on se couche tôt; les lits sont bons dans la première fraîcheur. La ville était toute nue avec ses arbres presque sans feuilles, ses

rues désertes, ses pavés lavés de pluie et qui sentaient la pierre sauvage. Les alambics brûlaient
sans arrêt. Les veilleurs de nuit dormaient pendant le jour sous des tentes de toile; la garde par-
tante les réveillait à huit heures du soir. Ils se
levaient, ils s'étiraient, ils bourraient le feu. Alors,
tout le pays sentait le sapin brûlé car on ne distillait pas qu'ici, mais en même temps dans tous les
villages, dans toutes les grosses fermes de la plaine
et des collines et c'était partout l'heure de la
relève et partout les releveurs commençaient le
travail en bourrant le feu. Les bourgeois, en train
de se coucher, venaient en chemise jusqu'à la
fenêtre; ils effaçaient la buée des vitres et ils regardaient. Les flammes battaient sur tous les pour-
tours de la ville, sans bruit, comme des oiseaux
qui volent haut et dont on n'entend pas les ailes.
D'autres dans les villages autour de clochers noirs,
d'autres au fond des collines sous les chênes. Le
vent portait des brouillards de cendres. Les reflets
venaient saigner sur la faïence blême de la cuvette.

— Tire le rideau, disait la bourgeoise.

Et tout ça restait dehors.

Mais dehors c'était des nuits dont on ne peut pas
dire la beauté. Mon ami venait vers les feux, avec
son verre à la poche. Dans les cavités de la ville le
bruit de son pas se multipliait. Il s'imaginait
accompagné de camarades marchant du même pas
que lui. Il suivait le boulevard planté d'ormeaux.
L'écho des arbres lui tenait compagnie. Il descendait le boulevard des Tilleuls; l'écho des étables
lui tenait compagnie. Il traversait une partie de
la ville en ruelles et en courettes; là, de tous les
côtés, les échos tremblaient sous ses pas.

— Comme une foire, me disait-il.

Même les chiens étaient couchés. Il s'en allait tout seul dans ces ruelles épineuses.

Les veilleurs, qui dorment pendant le jour et n'ouvrent leurs yeux que sur la nuit, le feu, le rai blanc de l'alcool coulant dans le seau, ceux-là ne raisonnent pas comme les gens ordinaires. L'ombre vous ballotte la tête comme une pomme au vent. Le sommeil des hommes rend au monde sa grande liberté. Des sociétés mystérieuses s'assemblent au-dessus des corps étendus. Celui qui est seul, debout dans la nuit, chante comme un arbre et il est tout bouleversé par la chanson de sa chair.

Il est facile de comprendre pourquoi les veilleurs et mon ami se faisaient accueil. Il est facile de comprendre pourquoi j'ai dit que ces nuits étaient d'une beauté si difficile à exprimer. Je ne veux pas parler de ces feux qui brûlaient le pays comme une pluie d'étoiles, je veux parler de cet homme solitaire qui essuyait la vaisselle et n'avait son pain que par charité. Le voilà qui fait lever dans les échos le pas des camarades, le voilà qui marche sur un chemin à sa taille, le voilà dans un univers à lui, que rien n'efface plus, ni les injures ni les ironies. Il est léger, il est vivant, il est le renard de la montagne, le loup des cimes, le poulain du pré, l'oiseau, le poisson, le vent même, et s'il redevient l'homme pour avoir entendu sonner une cloche ou rencontré par hasard le patron des alambics qui dit :

— Ah! salaud, je te surveille,

il n'est plus le délaissé et le perdu, mais la nuit pleine d'espérance l'entoure et le console.

Les veilleurs disaient :

— Assieds-toi, attends un peu.

Dans ce petit moment de silence, lui et les autres se comprenaient, fils de la même mère.

Au fond, dans la vie, on a tant besoin de consolation, de tendresse, de main sur les yeux; et toujours à faire le rodomont et le narquois au milieu du jour, et à rouler ses bras et à bomber sa poitrine, en criant moi, moi, moi, comme si l'on était capable de raser à la main les forêts de toutes les montagnes, et puis, pas plutôt caché, on pleure dans ses doigts.

— Tu as ton verre? disaient-ils.

— Sûr, disait-il.

Il frémissait de la moustache et sa lèvre d'en bas léchait déjà les poils. (Je lui ai vu faire cette gourmandise plus tard devant des joies plus noires que celles de l'alcool.)

On lui versait un plein verre de ce qu'on disait l'alcool de fer.

Le fond du tube; souple comme une faux, disait-on.

Il buvait sans baisser le nez.

Des fois deux verres, trois verres. Et c'étaient des verres à vin, des verres à auberge, puis, ça dépendait du revertigo des veilleurs : ils levaient la main et ils disaient :

— File.

Il s'en allait.

Il y avait seize alambics. Un « Rue Courante ». Un « Rue du Vieux-Fer ». Un « Rue sans nom », enfin seize. Sous les platanes, sous les érables, sous les ormeaux avec des feux de plus en plus gros, des rasades d'eau-de-vie qui coulaient à la fin comme des cavalcades de torrent. A mesure, dans les échos, c'étaient des pas et des pas et des camarades fantômes couraient à travers la nuit, pour s'approcher plus vite, pour lui dire :

— Alors, tu es là, comment ça va?

Ces petites choses de rien mais qui font plaisir quand on n'a pas l'habitude de se l'entendre dire, que pas un être vivant ne se soucie de vous.

A dire vrai, ceux de l'ombre ne commençaient à parler qu'après l'alambic de Richard (Rue de la Chaise). Mais à partir de là ils pouvaient même montrer leurs visages respirants. Au fond de la nuit, des paliers chargés de personnages sous de petites lumières comme aux autels mineurs dans les églises.

— Mais, disait-il, la veilleuse est dans mon œil.

Il ne faisait que deux gestes, il se penchait en avant pour saluer, il tendait la main.

Une main comme en bois.

— Merci, disait mon ami.

Il serrait la main de bois.

— Mon cher collègue, disait le proviseur d'ombre, avec une voix de ressort, acceptez toute mon admiration. Croyez que je vais signaler en haut lieu...

Et toujours il saluait et toujours il tendait la main de bois.

— Merci, merci, disait mon ami.

Il en avait les larmes aux yeux.

Mais, sur d'autres paliers, d'autres scènes s'animaient avec de petits déclenchements d'os qui craquent.

La mort de sa mère sur un beau lit à pompons, à baldaquins et à dentelles. La chambre était pleine de messieurs en redingotes, de dames avec des boas de plumes. Ceux-là ne parlaient pas. La morte non plus. Elle était très belle avec un visage reposé. Elle n'avait pas du tout souffert pour mourir. Au

contraire. Personne ne parlait et cependant —
allez chercher! — on savait que l'enterrement
serait de plus que première classe, que toute la
ville y viendrait et que, par chagrin spécial, les
autorités avaient permis qu'on enfouisse dans
le magnifique tombeau, en même temps que la
maman, et pour qu'elle soit tout à fait à son aise
dans la mort, toute la splendide literie, édredons,
dentelle, couverture de laine, oreillers...

Oui.

— Rien à me reprocher, disait mon ami. Rien.
Rien.

Sur les paliers en haut qui touchaient le ciel
une boule de lumière grise éclairait une chambre
tapissée. Toute tapissée : les murs, le plafond, le
parquet. Comme une boîte. Une tapisserie de fleur
et d'oiseau...

Il me parlait quelquefois de ces visions, surtout
pendant les premiers jours de l'hiver quand elles
étaient encore toutes vives en lui.

— J'ai désiré beaucoup de choses, me disait-il, —
il était alors très calme, atterré, on ne peut pas
même dire, tombé sur la terre mais scellé à la
terre : ailes, cervelle et tout. — Je n'ai jamais eu
que mes rêves. Mais ce qui me fait le plus d'envie
c'est ça :

« Une tapisserie de fleur et d'oiseau. Une table
ronde. Une lampe, c'est le soir. Une femme. Elle
tricote. Elle est jeune. Un peu grasse. Blanche.
Un énorme chignon. La cafetière est sur le feu.
Le petit garçon est couché. Tout à l'heure nous
aussi. Je corrige des devoirs.

« Ça fait terrestre », disait-il.

Il m'en parla une autre fois, l'été sur la place
des Ormes. Devant un théâtre de guignol.

On jouait *Roger la Honte*. Les personnages étaient hauts d'un demi-mètre, et en bois. Tous les gestes se faisaient sous de grosses ficelles.

— Voilà, me dit-il, tu vois, un peu raide, un peu dur, un peu pas vrai, mais c'est très étonnant : ça a une vie tellement volontaire.

Ainsi...

Et après le dernier alambic, il marchait encore quelques pas vers une ruelle des étables, il se couchait sur des débris de foin juteux — ces nuits d'automne sont toujours humides; le vent marin souffle lentement dans le tuyau sombre des rues — et il s'endormait dans sa gloire.

Quand on attend violemment quelque chose, toujours, toujours, il faut être très équilibré pour ne pas devenir fou, et, à la fin, prendre en soi-même la force de ne plus attendre.

Entre l'automne et l'hiver, les longues pluies passent. Ici la terre est d'argile et de schiste. Presque pas d'arbres, presque pas d'herbe. C'est vite une boue épaisse dont l'eau ne peut jamais trouver le fond. Il reste à faire quelques charrois de raves pour les bêtes. Les tombereaux sont enchapés de terre grasse jusqu'aux moyeux. Les mulets, les ânes, les bœufs, les hommes portent des bottes de boue jusqu'à la moitié des cuisses. La ville a beau être pavée, elle finit par être toute gluante. L'hiver n'est pas un hiver de neige dure; c'est une lutte entre la montagne et la mer. Pendant la nuit, la montagne descend et elle gèle tout, pendant le jour la mer monte à travers le ciel, elle se couche sur nous avec son eau tiède, tout s'amollit, les

arbres s'arrachent tout seuls le long des talus, les
coteaux se déchaînent en longs glissements d'ar-
gilières, sans jamais trouver l'os du rocher. Il n'y
a plus que le bruit de la boue et de la pluie, le long
des jours, le long des jours, le long des jours, sans
jamais d'arrêts.

Mon ami — je vais l'appeler Monsieur Jules —
restait dans sa chambre toute la journée. Il se
levait le matin de bonne heure, il s'habillait, puis
il se recouchait dans son lit. Il restait là. Des fois
on l'appelait d'en bas. C'était pour aider la femme
de lessive à porter le baquet ou bien pour racler
la caisse à eau et faire tomber le tuf. Ces jours-là,
il mangeait la soupe à midi. Il avait bien essayé
de s'asseoir près du poêle, entre le poêle et l'évier,
dans le coin. Il gênait. On s'arrangeait pour le
lui dire. Alors, il restait dans sa chambre, sans
feu. En face de la fenêtre, à trois mètres, un mur.
Le bruit de la pluie. Le jour se levait à huit heures,
il se couchait à trois heures et demie. Il faut tenir
compte du mur devant la fenêtre. Monsieur Jules
s'endormait tard et se réveillait tôt. Il n'avait pas
de bougie ni de lampe. Sous sa fenêtre, ce n'était
pas une rue. Seulement un espace entre deux maisons bouché d'un côté et de l'autre; une sorte de
fosse avec des gravats et des rats. Ça provenait,
je crois, d'une vieille chicane entre des têtus à
propos de mitoyenneté. Le perdant avait dû construire son mur sans ouverture à trois mètres de
la maison. Il l'avait fait le plus haut possible.
C'était en somme un espace mort, sans usage pour
personne. Monsieur Jules me disait :

— Je n'ai pas d'imagination. Je vois ce qui est.
Voilà tout.

Il avait une montre.

Au début.

Elle battait dans la poche de son gilet. Il avait commencé à compter un, deux, trois, quatre, cinq, six, sept, huit... mais ça l'emportait vers les chiffres trop longs à dire ou à penser, et qui dépassaient en longueur de nom le temps de la seconde. Il s'embrouillait. Il comptait seulement jusqu'à vingt, puis il levait un doigt de la main et ainsi de suite jusqu'à cent. Puis alors il fallait encore marquer un avec quelque chose pour savoir que ça faisait un cent; et marquer avec quoi dans ce noir?

— C'était même un peu agaçant, me disait-il, parce que, naturellement, je continuais à compter, mais je perdais le compte. C'était futile.

Il aimait ce mot. Il y en avait quelques-uns comme ça : futile, énergique, liquider.

Quand il disait « futile » ses grosses lèvres faisaient tout le tour du mot comme pour une chose gourmande avec du jus.

Le silence est toujours réconfortant. J'aurai l'occasion de dire un jour tout ce que je sais sur le silence. Mais, il y en a un d'une qualité spéciale qui est déjà une nourriture de héros : c'est l'absence de bruits humains.

La chambre de Monsieur Jules est pleine de ce silence-là. Et, il n'est pas un héros. D'abord, il est un homme doux, faible, un peu lâche, ne pouvant être illuminé que par les reflets du monde, comme l'eau. Ensuite, il ne sait pas imaginer. Il ne sait pas semer autour de lui les graines de la grande forêt : faire crever le plancher, le plafond et les murs de sa chambre, faire éclater l'auberge, la ville entière, sous la poussée des palmiers, des bambous, des lianes, des feuillages indiens; être

le chef de l'armée des singes, se hisser sur l'élé-
phant sacré, s'aplanir les lèvres, s'élargir les yeux,
se murer le front, et s'en aller à travers l'air vierge,
dieu pesant au rire de soleil. Non.

Il ne sait pas.

— Je vois ce qui est, voilà tout, me disait-il.

Et il me regardait avec ses petits yeux gris.

Ainsi, j'ai connu de bonne heure le plus pauvre
de tous les déshérités. Celui qui est vraiment sans
héritage; qui fait sa vie toujours à zéro, nu et cru.
Celui pour qui l'arbre n'est rien, l'herbe n'est
rien, le ciel n'est rien. J'ai dit qu'il était professeur d'histoire naturelle. Oui, il professait l'histoire naturelle; je veux croire avec beaucoup
d'humilité. Il avait tous les atlas de Klingsieck sur
les papillons, les poissons, les plantes de la montagne, de la plaine et de la mer. Il avait un herbier
d'algues, des flores qui pesaient trois kilos, larges
comme des tables de cuisine; un historique de
500 pages sur les différentes espèces d'aunes glu-
tineux, traité au double point de vue industriel
et médicinal par Dimartin, membre de l'Académie des sciences, professeur de botanique à la
Sorbonne. Un traité de volcans et de tremblements
de terre dont il avait arraché une planche. Elle
représentait la mosaïque du vigneron à Pompéi.
En touchant une fleur dans l'ombre, il disait, sans
se tromper :

— C'est de la dauphinelle, c'est de l'adonis, du
réséda, de la stellaire, de la sanguisorbe, de l'épi-
lobe, de l'onagre ou de la bryone dioïque.

Et même il pouvait distinguer comme ça, dans

l'ombre, la ficaire du caltha des marais qui, comme
chacun sait, sont deux fleurs très voisines.

Il en disait sans se tromper toutes les caracté-
ristiques les plus secrètes.

Mais il ne savait pas qu'elles s'appelaient aussi
— surtout — petit éclair, herbe au fic, éclairette,
populage, souci d'eau, palustre, pied d'alouette,
bec d'oiseau, morgeline, couleuvrée, mille noms!

Ou s'il le savait il s'en foutait, de par son goût
personnel, ce qui est plus grave.

Tout à l'heure, j'ai dit qu'il pouvait reconnaître
dans l'ombre la dauphinelle, l'adonis, la sanguisorbe, toutes les plantes.

Mais j'ose à peine — même avec tout mon souci
de vérité — répéter les noms répugnants qu'il
donnait à ces fleurs.

Il ne disait pas :

— C'est de la sanguisorbe...

Il disait :

— C'est du Potérium Sanguisorba.

On lui tendait une tige ligneuse portant la goutte
frémissante et dentelée du sang du Christ, il ne
disait pas :

— C'est l'œillet des Chartreux...

Il disait :

— C'est le Dianthus Cartusianorum.

Et même le chou, le chou potager, dont il ne pouvait pas manger une soupe...

Je me souviens qu'un jour il a mangé à la maison la soupe d'un beau chou clair liée de lard,
d'huile vierge et un gros cervelas juteux. Il étalait
les feuilles de chou sur le bord de son assiette, il
les regardait. Il disait :

— Brassica oléracéa.

Il avait été lancé dans le monde un jour où Dieu

avait le bras fort : il était allé tomber dans les
cantons perdus où l'on est oublié de Dieu même.

La vérité, c'est qu'il aurait pu sauver sa vie,
mais d'une seule façon.

Arriver au collège, dire à la demoiselle qui
montre le *b a ba :*

— Prêtez-moi un de vos petits garçons,

et puis, là-haut, au laboratoire, installer l'enfant
dans la chaire; lui, s'asseoir au banc des écoliers
et dire :

— Maintenant, petit, fais-moi, toi, la bonne
classe.

Alors, il se serait rapproché de Dieu.

Mais il était tellement professeur, dur avec la
nature, faible et mou contre le livre.

La vérité c'est qu'il n'aurait pu être sauvé par
rien.

Ce sont toujours les mêmes qui s'étonnent de
saint François parlant aux oiseaux.

— Ça m'a été difficile de liquider, dit-il. Mais
j'ai été énergique et maintenant je ne m'arrête
plus à des calculs aussi futiles.

Il eut encore autour du dernier mot, ce rond des
lèvres gourmandes. (Je n'ai pas connu Monsieur
Jules pendant qu'il était professeur en exercice. Je
l'ai connu déjà un peu fou; déjà un peu délivré.)

Pour la première fois je vis dans ses yeux de
beaux feuillages. Sa chambre aussi était trans-
formée.

C'était en plein hiver. Un froid si dur que la
terre s'était rétrécie autour des pavés et qu'on
marchait dans des rues toutes cliquetantes.

Le soir de trois heures.

Dans la chambre, plus de silence, mais le battement d'un gros sang.

Contre le mur du fond il y avait une longue horloge paysanne; au-dessus du lit un coucou, sur la commode une pendule à globe de verre; sur la table de nuit un réveil de métal blanc; cloué à la porte de l'armoire, un gros cadran de café avec son cadre à six pans, ses heures noires, ses aiguilles épaisses comme le doigt, et sur la couverture, entre les cuisses de Monsieur Jules couché, trois montres : la sienne et deux autres en acier brun.

De temps en temps, il en prenait une dans ses mains et il l'approchait de l'oreille. Il avait tout de suite l'œil plus clair. Le regard n'était plus attaché sur qui sait quoi d'immobile au-delà du temps mais il allait d'une chose à l'autre dans ce monde-ci. Sa bouche aussi se mettait à rire. C'était un homme délivré.

Il me dit qu'il s'était guéri du silence et du vide.

Je lui demandai quel vide? Il me dit « moi », puis il me dit qu'il aimerait bien vendre ses livres, les atlas, les flores et son microscope qui était tout en débris. Il me demandait si je voulais aller trouver pour ça un vieux pharmacien qu'il me désigna. Je le lui promis.

Mais ce mot de vide m'intriguait et un peu cruellement j'insistai pour savoir de quel vide il voulait parler. Alors, je m'aperçus qu'il était tout simplement amoureux, et amoureux comme on l'est vraiment : des mains, des yeux, de tout, et puis du fond de soi. Amoureux des pendules!

Je n'ai jamais pu l'imaginer autrement qu'avec une chair grise et sans semence. Il ne pouvait pas être une source avec le désir de se remplir.

Il n'avait jamais parlé tendrement que de sa mère et, dans les années qui avaient précédé, il n'avait combattu avec passion que le souvenir de cette femme morte misérablement quelque temps après son renvoi du collège.

— Je ne peux plus vivre seul, me dit-il. J'ai trop d'importance.

— Vous trouvez, dis-je, que vous êtes un trop grand personnage pour n'avoir que ce que vous avez?

— Ce n'est pas du tout ce que je veux dire, dit-il, mais si ça avait duré comme avant je me serais pendu.

Nous restâmes un moment muets, dans le halètement de toutes les horloges. Peu à peu, peu à peu, peu à peu le temps passait.

— Très difficile à expliquer, dit-il.

Je le regardai. Il était couché tout habillé. Il se tira pour s'asseoir sur le lit. Son faux col de celluloïd cliquetait autour de son cou.

— Je n'ai que moi, et c'est un grand avantage, dit-il en pointant son doigt vers moi au moment où j'allais parler de cette importance qu'on prend vis-à-vis de soi, par rapport au reste de la terre.

Les mots de sa dernière phrase m'étonnèrent. Il les employait pour la première fois.

— Oui, dis-je, quand on n'a rien d'autre que soi-même; mais...

— Justement, dit-il en dressant la main pour me faire taire. Autre chose que soi-même.

Et il resta comme ça, la main en l'air, bouche ouverte, sans respirer, les yeux ronds :...

Le temps était dans la chambre, vivant comme un fleuve! On l'entendait couler. Pour moi qui, à ce moment-là, étais dans le commencement de ma jeunesse, ce flot matériel, pesant sur mes épaules, liant mes jambes, bouchant mon gosier et m'entraînant vers la mer, me remplissait de révolte, et je devais lutter contre tout mon corps pour ne pas nager, frapper du talon et hurler vers les rives. Monsieur Jules s'était de nouveau allongé sur le lit. Sous la couverture rousse, il était comme un tronc d'arbre qui flotte.

Je fis la commission qu'il m'avait demandé de faire. Le vieux pharmacien acheta les livres. Il me donna sept francs pour tout le ballot y compris les débris du microscope. Avec cet argent, Monsieur Jules acheta trois nouvelles vieilleries : un vigneron de métal noir à cheval sur un tonneau; sur la douve de devant était un cadran; la douve de derrière souriait sur les rouages; un oignon d'acier, gros comme le poing, et une horloge bavaroise en bois avec des poids de fonte moulés en forme de pin. Il en rapetassa les mécanismes. Il n'était pas nécessaire que ce soit très juste. Il suffisait que la vie y soit. Puis il s'allongea de nouveau sur son lit.

L'été revint, avec ses blés. Monsieur Jules sortait quelquefois dans les champs, et je l'accompagnais. C'est de ce temps qu'il se mit à fredonner, puis à chanter à demi-voix la complainte du Juif errant en Flandre :

> *Messieurs, je vous proteste*
> *Que j'ai bien du malheur,*
> *Jamais je ne m'arreste*
> *Ni ici ni ailleurs,*
> *Je suis trop tourmenté*
> *Quand je suis arrêté.*

SON DERNIER VISAGE

Je poussai la porte du magasin. L'atelier de ma mère était vide. La table de repassage était parée de ses draps blancs, du porte-fer, du vieux bol de la pattemouille. Je demandai :
— Personne?
On fourgonnait dans le fourneau de la cuisine.
— On y va, dit ma mère.
Avant de paraître, pour faire prendre patience, elle montra sa main par l'entrebâil du rideau rouge.
Elle arriva.
J'étais à contre-jour.
— Monsieur, dit-elle.
Je la voyais bien, moi. Pour la première fois je compris son visage. Il n'était pas seulement beau, régulier, doux et lisse, parfumé à la vanille, glissant aux lèvres des enfants, protégé de tout, comme en pierre, destiné à être toujours le visage de maman. Non, c'était un visage de femme. Elle avait terminé son bonheur. Des cheveux de cendre, un front gris, des rides qui la salissaient, une bouche serrée pour se priver de pain et de cris, et de pauvres yeux bleus trop grands, au regard délayé. Elle me regardait en baissant l'échine.

Elle eut l'air de dire non, avec sa tête, et, comme je fermais les yeux, j'entendis son petit pas vers moi, je sentis sa main sur mon épaule, j'entendis qu'elle m'appelait :

— Jean!

Elle pesait dans mes bras un poids insupportable.

— Jean, dit-elle, comme j'avais besoin de toi.

Et elle se mit à pleurer.

Elle était brûlante. Sa joue, ce que je touchais de ses vêtements, son regard levé vers moi, ses cheveux sous mes lèvres et où passaient entre les cheveux gris des torsades épaisses de cheveux encore dorés, elle était de feu. Je ne connaissais pas encore la grande partie de moi qui était faite d'elle-même, sans mélange.

Je ne m'en méfiais pas et j'étais lourd de tout son lait. Elle sentait le malheur. Je protégeais ses épaules avec mes bras. J'avais durci mes muscles. Je tournais lentement la tête de droite et de gauche pour voir d'où pouvaient venir les coups. Je voulais défendre cette femme sans penser qu'elle était ma mère et je disais doucement :

— Maman, maman.

Comme à quelqu'un de très loin.

J'embrassais sa main blanche d'amidon.

— Tu t'es brûlée?

Elle avait un cal énorme à la base de l'index. Elle s'éloigna de moi.

— Viens boire le café neuf.

Ce que nous appelions la cuisine était l'arrière-boutique. Elle était toute en longueur et séparée du magasin par seulement un rideau rouge. Le fourneau était dans une encoignure, puis venait l'âtre sans vie ni rien, encombré de bouteilles et

de fers à repasser, puis le placard, puis l'évier.
Tout du même côté. Au fond, l'évier touchait la
fenêtre barrée qui donnait dans la cour intérieure.
De l'autre côté, il y avait la batterie de cuisine, une
table demi-ronde, poussée contre le mur, et la porte
du couloir. Près de la table, la chaise de mon père.
On n'y voyait pas, mais j'avais tellement l'habitude.

Je commençais à distinguer les boîtes à condi-
ments sur le manteau de la cheminée.

— Nous avons l'électricité, maintenant, dit ma
mère.

Elle tourna le commutateur.

— Éteins, dis-je.

La lampe donnait une énorme lumière blanche
sans pitié. Elle frappait sur toutes ces choses sensibles.

J'avais un grand besoin des douces boîtes de
fer peintes d'or et de vermillon, de cette couleur
ardente que le placard de vieux bois allumait lentement dans l'ombre; une couleur de forêt à l'automne avec des verts mouillés, des moisis un peu
phosphorescents et qui sentaient le champignon,
de l'âtre noir avec sa luisance de bouteilles vides;
j'avais besoin de reconstruire autour de moi la
magie de ma jeunesse, ma maison pertuisée de
longs couloirs, avec ses petits habitants de bure,
ses lucarnes donnant sur des bosquets d'ifs, mes
anges familiers avec leurs grandes ailes de paon
et les annonciations magnifiques qu'ils chuchotaient au détour des corridors crépis de chaux.
J'avais besoin de retrouver ma mère. Et mon père.

Je ne savais pas encore qu'on doit envier les
morts.

— C'est Marin qui nous l'a installée, dit-elle. Il

a fait ça à temps perdu. Ça ne nous est pas revenu cher. C'est peut-être pas fait très juste. Mais ça éclaire. C'est le principal. On ne trouvait plus de pétrole à la fin. Ton père dit que c'est trop vif. Je lui dis : « Épingle un journal à l'abat-jour de ton côté. » Mais quand il lit, alors il n'en dit rien.

— Où est-il?

— Nous ne t'attendions qu'à huit heures.

Elle s'arrêta de frapper sur la débéloire pour faire passer le café.

— Tu es venu comment?

— J'ai laissé le train à Volx, dis-je. Il y avait trop à attendre. Je suis venu par les collines, avec Jourdan.

— Lequel?

— Celui des Chauranes. Je l'ai accompagné jusqu'à sa ferme. J'ai rencontré François le berger.

— Des Chauranes, dit ma mère, voyons, lequel, il y en a deux?

— Celui de mon âge, l'autre est mort.

— Ah! Il est mort? dit-elle. C'est donc celui qui avait toujours un tricot de marin et qui faisait des tours de force. Un gros blond?

— Non, c'est celui-là qui est mort. Ils avaient tous les deux des tricots de marin. C'est l'autre, le maigre, avec des cheveux frisés. Quand on l'a vu, on le garde.

— Ah! dit-elle, je vois. Tu es venu avec lui?

— Oui, on était au buffet pour attendre. Il a dit : « On part! » On est parti.

— Je vois, dit-elle. Un maigre, avec des cheveux frisés. Il me faisait peur, ce garçon.

— C'est ça, dis-je.

Elle frappa deux ou trois petits coups de cuiller sur la débéloire.

— C'est un exalté, dit-elle. Il est venu voir ton père une fois.

— Il est venu voir papa, quand?

— Il y a deux ans, je crois. Oui, c'était en 16.

— Qu'est-ce qu'il voulait?

— Je ne sais pas, ça s'est passé entre eux deux. Je crois, cependant, dit-elle, que ça devait être sérieux. Il est resté longtemps là-haut, et quand il est parti, il est passé par le couloir.

— C'était peut-être une lettre, dis-je, ou une démarche pour l'allocation.

— Je crois plutôt, dit-elle, que c'était pour une chose exaltée à ce qui me semble, car je me souviens qu'il parlait seul en s'en allant. Ton père est toujours le même.

De la fenêtre barrée coulait un jour verdâtre un peu sirupeux comme un fond de ruisseau. Tout maintenant dans l'arrière-boutique avait sa valeur d'ancien temps. Le métal des boîtes qui vibrait à la voix de ma mère avait gardé le son de vieux mots prononcés par des bouches maintenant mortes. La flûte et le violon de Décidément et de Madame la Reine jouaient à travers les bouteilles une phrase de Bach. J'entendais le berger Massot. Il me semblait qu' « A la Citerne » la porte venait de grelotter sous la poussée d'épaule de Gonzalès et tout à l'heure Franchesc Odripano allait descendre l'escalier. Toute ma jeunesse avait grondé comme un remous de verger. Maman venait de dire : Ton père est toujours le même.

— Toujours le même, dit-elle lentement, en s'arrêtant entre chaque mot; elle écoutait en même temps un bruit dans la cour.

Elle resta la cuiller en l'air, à écouter.

— C'est lui?

C'était un bruit de savates traînées sur les dalles. Le pas était à la fois furtif et lourd. Il y eut un petit froissement de pantalon de velours, puis cela échela les escaliers.

— Il serait là, dit-elle lentement, si l'on ne t'avait pas attendu pour huit heures.

Elle écoutait toujours.

Puis elle me servit le café. Elle but le sien; elle suçait du bout de ses lèvres pointues. Elle était debout devant moi. Malgré l'ombre et le jour vert de la fenêtre, je la voyais maintenant plus vivante, plus réelle que tout à l'heure quand elle pleurait contre ma poitrine.

Brusquement, elle comprit ce que je pensais.

— Il ne faut pas monter le voir au lit, dit-elle. Il faut l'attendre ici. Il ne tardera plus guère. Il a parlé de toi ce matin.

— Pourquoi ce matin?

— Parce que tu allais arriver.

— Il n'en parlait pas les autres jours?

Elle fit semblant de chercher son mouchoir dans la poche de son devantier et elle fit tomber ce petit étui de fer où elle gardait une figure en plomb de saint François d'Assise. Elle le ramassa, replaça le saint dans sa gaine, puis au fond de sa poche, le mouchoir par-dessus.

J'ai hérité de ma mère ses yeux bleus, ses cheveux presque blonds qui viennent de Picardie, avec elle, et cette sensibilité angoissée, un peu faible, un peu gémissante, cette peau si fraîchement posée sur le cœur, les poumons et le foie, cette peau si mince qu'elle n'est plus une protection, mais seulement comme un enduit de glu qui colle mes viscères à vif sur le monde.

— Il ne t'a pas fait seul, dit-elle.

— Ne te fâche pas, maman.

— Je t'entends et je te vois, dit-elle. Ça m'est égal l'ombre, à moi aussi. Regarde-moi et dis-moi si tu n'as pas mes yeux et mes mains et peut-être plus que ce que tu crois, petit. Oui, tu fais ses gestes à lui avec ce qui me ressemble; oui, tu as à la fois sa voix et la mienne. Mais tu vois, Jean, c'est peut-être de ça qu'il y a entre nous trois — je ne sais pas...

Elle s'interrompit.

— Écoute, on a marché?

— Non.

— Dans le couloir, dit-elle à voix basse.

Je me dressai et j'ouvris la porte.

Il n'y avait personne.

Je m'approchai de ma mère.

— Qu'est-ce qu'il y a, maman?

— Rien.

Elle détourna la tête.

— Écoute-moi, dis-je. J'arrive, je suis content de vous retrouver tous les deux. Toi, ma mère. Lui. Pourquoi as-tu pleuré tout à l'heure ces larmes qui ne sont pas celles que tu pleurais d'habitude quand j'arrivais en permission. Tu n'as peut-être jamais compris, et c'est peut-être parce que je ne te l'ai pas assez dit, que je vous aimais tous les deux pareil. Lui, tu sais bien, maman, tu te rends bien compte de ce qu'il est. Non, tu ne sais pas, sans doute parce que tu as vécu avec lui, attachée contre, sans le quitter, minute par minute et qu'on s'habitue à tous. Tu ne sais pas, maman, l'homme que c'est. Comme il sait ce qui est juste et injuste! sa force! ce besoin de soigner, et cette chose qu'il ne sait pas faire, maman : meurtrir.

Je touchai la poche de son devantier.

— Ce petit saint de plomb, là-dedans, maman,
écoute-moi, tu sais, regarde-moi. Il est comme
lui, ma mère, mais vivant. Oh! ma mère, je vais
peut-être te parler avec des paroles, dis-je en
essayant de rire, mais c'est le grand souvenir de
ce que vous avez fait pour moi dans ma jeunesse,
toi et lui, en me donnant pour compagnons tous
ces gens qui avaient la tête pleine de lunes...

— Lui, dit-elle, pas moi.

— Toi aussi, maman, puisque tu l'as permis et
qu'il t'aime trop pour rien faire qui te soit mauvais. Je vais te dire, et ris un peu, je le vois comme
sur les images, tu sais, à genoux sur des rochers
en carton avec à côté de lui des tilleuls, des pom-
miers, des cyprès et des cèdres gros comme des
saladelles et entouré de son grand troupeau de
moutons à visages d'hommes.

— Saint François, c'était un saint, dit-elle. Il
n'avait qu'à ne pas se marier, lui. Rester seul.
Alors tant pis pour lui. Il aurait pu se couper en
quatre, il aurait été seul à saigner. Je n'ai pas
besoin qu'on en fasse des images, moi, de ton père.
J'ai besoin...

Elle se mit à pleurer contre mon bras.

Cette fois, c'était lui.

J'avais moins entendu son pas, que ce bourdon
sourd, sans forme ni couleur qu'il avait pris l'habitude de bourdonner, lèvres fermées, et qui le pré-
cédait toujours comme le ronflement d'un tambour
de mage.

— Ne te cache pas, dit ma mère.

Mais c'était trop tard.

J'étais derrière la porte et en l'ouvrant il me
couvrit.

— Allume, dit-il.

Elle alluma. Il se tourna pour fermer la porte. Je le vis en face.

Il ne put pas parler tout de suite.

— Tu es déjà là, dit-il enfin.

Il avait ordonné d'allumer. Maintenant il parlait avec tendresse.

Il avait son dernier visage.

Il y a le visage de la mort. Mais avant il y a le dernier visage. Le visage de la mort est pelucheux et doux comme un oiseau; il est étendu, ailes ouvertes, sur le vide sans remous. L'autre, c'est le visage qui précède. Il ne s'éteint plus; il accompagne l'homme dans ses dernières foulées sur le portement de la terre, avant qu'il s'élance. Ce visage est comme un champ d'herbe déchiré mais illuminé par un grand charruage.

Il regarda ma mère.

— Pourquoi m'avoir laissé dormir?

Il avait des lèvres noires au fond de sa barbe d'argent.

— Je n'ai qu'un fils, je l'attends. Et on me laisse dormir. Perdu du temps. On se fout, ici, du temps que je perds.

— Tu n'as pas perdu beaucoup de temps, dit ma mère.

— Trop, dit-il. Trop de toutes les façons. Il ne m'en reste pas assez pour en perdre encore. Pas assez, dit-il sur ma joue pendant qu'il m'embrassait. Plus. Presque plus de temps.

Il avait des mains dures, des lèvres dures, des rides dures comme l'arête gelée des sillons d'hiver.

Il m'embrassa plusieurs fois en silence. A mon habitude j'avais serré son corps dans mes deux bras et je le tenais contre moi. Il était dur, rocail-

leux de tous les côtés, comme est le corps d'un
homme qui s'est préparé dans les sports, dans les
batailles, les marches dans la montagne, les
courses de vitesse. Je pensais subitement aux
coureurs en me souvenant de son visage doulou-
reux qui gémissait maintenant contre ma joue.
J'étais étonné de cette force. Il avait toujours
été pour moi le joueur de flûte aux yeux doux.
Soudain je sentis qu'il flottait entre mes bras et
je compris que ce que je touchais, c'était ses
os.

— Je suis tout de suite essoufflé, dit-il.
— C'est pas un gros travail pourtant, les caresses.
Il se mit à sourire.
— Voilà que tu as presque oublié tout l'enseigne-
ment, fiston. Voilà qu'à la première heure du
matin tu as tout de suite besoin de ton père. Tu
crois que la caresse c'est pas un gros travail?
Qu'est-ce que tu as fait alors de ce que je t'ai
appris?
— Ça fait plaisir de le voir rire, dit ma mère.
— C'est le plus gros travail que je connaisse,
la caresse. D'abord, ça demande tout le meilleur
de toi; et puis quand on fait un soulier on sait ce
qu'on fait, on sait à quoi ça sert. Mais quand on
fait une caresse, savoir? Ce qu'elle est, à quoi elle
sert, où elle mène?
— Cinq minutes qu'ils sont ensemble, dit ma
mère, et ça commence déjà.
— Ça n'est pas ça, dit mon père, mais je m'es-
souffle vite. Je suis malade, fils.
— Ça n'a pas l'air, dis-je.
En effet, il n'avait pas l'air malade et s'il inquié-
tait par son visage, c'était de lui voir garder tout
le temps cette souffrance d'un suprême effort, ce

masque angoissé de coureur de vitesse. Mais le coureur de vitesse n'est torturé que pendant la seconde de la dernière foulée; après il coupe la corde avec sa poitrine et il est déjà dans le côté du stade qui ne compte plus. La torture de son visage a été rapide comme un cri. Sur le visage de mon père, ça avait la même violence, mais lente.

— Ça n'a pas l'air, dit-il, mais ça en a bougrement la chanson. J'ai soixante-quinze ans, d'abord.

— Qu'est-ce que ça fait, dit ma mère. Tu es toujours à dire soixante-quinze ans; et après?

— Et après? dit-il. Après, c'est bien ce que je dis, après on meurt.

« Ô fils — il leva la main vers moi pour arrêter ma voix (sa main droite qui portait la manicle de cuir comme le ceste des lutteurs). Ne dis rien, nous en parlerons. Si tu crois que j'ai peur, alors c'est que tout ce que nous avons dit ensemble dans le temps, toi et moi, était la seule chose inutile du monde. Mais je ne le crois pas. Je n'ai pas peur. Je sais.

— Tu te l'imagines, dit ma mère.

— Ta mère, fiston, se sert de préférence des mots qu'elle ne comprend pas. Imaginer! Je vais imaginer ma mort, moi! Comme si je n'avais d'autres chemins si je voulais me servir de mon imagination. Juste celui-là. Je vais juste regarder du côté de ma mort et imaginer ma mort. Ma pauvre Pauline! Si tu crois que je me suis jamais servi de mon imagination pour me représenter les choses sûres et certaines; j'en ai eu besoin pour me représenter justement tout le reste, ma pauvre fille.

« Laissons, dit-il. Jean, bois ton café. Pauline,

bois ton café et foutons-nous mutuellement la paix avec toute cette histoire. »

Il leva vers nous ses yeux gris où tremblait une fugitive détresse comme du vent sur l'eau.

— Quand j'ai besoin d'imaginer, dit-il, c'est dans le silence.

LA VILLE DES HIRONDELLES

Dans un temps, Manosque était appelée ville des
hirondelles. C'est, de tout le pays des collines, la
ville qui en abrite le plus dans ses génoises. On les
voit tout d'un coup surgir par milliers et on ne sait
pas d'où elles viennent. Buffon dit qu'elles passent
l'hiver au fond des lacs, des étangs et des rivières.
« *Si bien, dit-il, qu'étant aux abords de la Loire,
j'ai vu des pêcheurs tirer leurs filets pleins d'hirondelles. Dès qu'elles émergèrent du fleuve, elles
commencèrent à voler, mais gauchement et comme
avec des ailes encore gluantes, car nous n'étions
qu'à la fin de février. Pour celles qui étaient restées
dans les mailles des filets, je les examinais et les
trouvais pareilles à des pupes de hannetons : la tête
cachée sous les ailes, semblables à de petits fuseaux
noirs, hermétiquement entourées de leurs plumes,
dans cette attitude immobile et cuirassée des ani-
maux qui entendent résister aux adversités de
l'hiver.* »

Il y a un moment que j'aime beaucoup dans cette
histoire de l'immersion des hirondelles. C'est quand,
l'hiver s'approchant, on voit les oiseaux, pareils à
des fuseaux noirs, se précipiter des hauteurs du
ciel vers le fond des eaux. Mais maintenant, en

plein mai, les hirondelles tournent dans le ciel de
Manosque comme les poussières d'avoine sur les
bassins où boivent les chevaux. Elles sont véri-
tablement comme les feuilles arrachées à la forêt
de la joie; elles ont, en l'air, une magnifique
aisance sans pesanteur, et ce petit cri ridicule
qu'elles poussent — qu'on ne peut, en aucune
manière, appeler un chant d'oiseau — donne
l'idée d'un jaillissement spontané de joie.

Nous avons passé, mon père et moi, de longues
heures à nous réjouir silencieusement du spectacle
des hirondelles. Nous montions à la colline, puis,
assis sous les oliviers, nous avions le gouffre de la
vallée ouvert devant nous, et parfois les oiseaux
venaient nous frôler. Au bout d'un moment, nous
nous mettions à parler, car cet état de joie intense
où nous étions nous permettait d'aborder certains
problèmes avec sérénité.

— Bien sûr, fiston, me dit-il, nous mourrons,
toi et moi. On ne nous gardera pas pour graines.

Mais, vint le jour où il dut mourir. Il était
couché au fond de son lit, tout changé, racorni et
rapetissé par une terrible souffrance : une vaste
étendue dans laquelle il s'éloignait. J'accompagnais le docteur jusque sur le palier qui dominait,
au deuxième étage, la cour intérieure dans laquelle
notre escalier descendait à ciel ouvert.

— Je n'ai plus besoin de venir, dit le docteur.

— Faites attention, dis-je, en le prenant par le
bras, ne restez pas sous ce nid d'hirondelles, elles
vont vous salir.

Il y avait, en effet, des nids d'hirondelles collés
aux poutres du plafond, et à cette heure calme de
l'après-midi, les mères nourrissaient les petits.

— Et, pour cette douleur, dis-je, car il est impossible de le laisser souffrir de cette façon, que faut-il faire?

— Elle est difficile à supporter, n'est-ce pas? me dit-il.

— Il se bat avec elle depuis trois jours et elle le dévore.

— Je comprends, dit-il, que pour vous ce doit être terrible.

— Je ne pense pas à moi, dis-je, mais je n'ai plus la force de le voir souffrir comme ça.

— C'est bien ce que je dis, dit-il.

Il essuyait les verres de ses lunettes. Le soleil épais et lourd tombait en bourdonnant dans la cour; les hirondelles venaient se coller contre les nids, repartaient en criant.

— Il souffre peut-être moins que ce que vous croyez, dit-il.

Je regardais devant moi sans rien voir.

— ... Car vous imaginez sa souffrance avec votre corps en pleine force et lui, il est déjà plus qu'à moitié dans la mort.

— Je voudrais pouvoir le tuer tout de suite, dis-je.

— Vous savez bien qu'on ne peut pas, dit-il, je lui ai marqué une potion qu'il n'a pas voulu boire.

Il me regarda de ses gros yeux myopes, sans couleur, tachés de sang.

— Eh bien! dit-il, faites-lui boire.

Et il commença à descendre.

Je rentrai dans la chambre. Je m'approchai de lui. Oh! je savais bien que nous étions déjà séparés.

J'écartai la barbe autour de la bouche. C'était une caresse que je faisais souvent avant de l'embrasser. J'essayai de lui faire boire la potion dans une cuiller à café, mais les coins de la bouche étaient amollis et tout coula dans la barbe. Les

dents serrées ne laissaient passer que le gémissement tremblant, comme le bruit d'une lime maniée
par un apprenti. Je versai la potion dans une
soucoupe, m'imaginant qu'elle pourrait ainsi se
glisser entre les dents. Elle se répandit dans la
barbe. Alors je pris du savon et un peu d'eau tiède,
et je lavai tout le tour de la bouche, et je peignai
les beaux poils blancs.

— Ah! mon papa, dis-je, c'est long pour t'aider,
je ne suis pas très habile.

Mais je pensais qu'une burette pour l'huile
ferait l'affaire et j'allai en chercher une dans
le placard de la cuisine. Elle n'avait jamais servi;
elle était censément du service du dimanche et des
jours de fête. J'y versai la potion et je compris que
le bec de la burette était juste ce qu'il fallait. Et
je me dis : « Cette fois, il faut qu'il boive! » Et
je me mis à l'essayer et en même temps je lui
demandai à haute voix de le faire. Alors il ouvrit
les yeux, et je le revis. Comme au fond d'une vaste
étendue. Loin, là-bas, dans la distance, près de
l'endroit brumeux à partir duquel on disparaît.
Comme s'il se retournait tout en marchant pour
me dire adieu. Et il happa la potion avec un appétit carnassier.

Le gémissement se tut. Il se mit à respirer comme
si, ayant cessé de courir, il se reposait à l'ombre.
Je vins m'asseoir près de la fenêtre. De l'autre côté
de la rue, dans une cuisine, une femme préparait
le repas du soir. Les hirondelles étaient alignées
sur des fils électriques.

J'aimais mon père, non pas seulement parce
qu'il était mon père, mais parce qu'il était ce qu'il
était. Je l'admirais; je l'admire toujours. Ensemble,

nous avions lu plusieurs fois les Évangiles, la
Bible, et dans saint Thomas d'Aquin, les traités
de Dieu et de la vie humaine. Il respirait maintenant très doucement et j'écoutais son souffle avec
une attention terrible : il mesurait la fuite d'un
temps qui paraissait ralenti.

Pour expliquer certaines de mes façons de penser,
quelques critiques ont prétendu que j'étais protes-
tant. Non : ni mon père ni moi. Ni protestants ni
catholiques. Rien. Et je me souvenais maintenant
de tout ce que nous avions lu ensemble et je trouvais
que c'était vraiment d'une belle poésie, d'une très
belle sagesse, d'une très grande force. C'étaient de
très beaux livres. J'étais sûr que moi désormais
solitaire (je savais qu'il avait déjà dépassé la
zone brumeuse à partir de laquelle on ne voit plus
personne; son souffle mesurait déjà un temps qui
n'avait plus rien de terrestre), j'étais sûr que pour
moi désormais solitaire, je reviendrais souvent
à ces livres et qu'ils m'apporteraient toujours ces
longues jouissances qu'ils m'avaient déjà appor-
tées. Je savais que c'étaient des livres très impor-
tants, mais, dans cette chambre, avec ce souffle
qui, peu à peu, s'éloignait, allait surgir dans peu
de temps l'événement le plus important du monde
entier pour moi. Pour moi seul. Cela me concer-
nait, personnellement. Je sentais combien c'était
injuste de vouloir y participer, par exemple cette
femme là-bas qui, de l'autre côté de la rue, préparait paisiblement le repas du soir. Et encore,
cette femme-là me connaissait et connaissait mon
père, mais le reste du monde! Il aurait été injuste
également d'accuser qui que ce soit de ce qui allait
se produire et même de désirer autre chose. Celui
qui prie pour empêcher la mort est aussi fou que

celui qui prierait pour faire lever le soleil par
l'ouest, sous prétexte qu'il n'aime pas la lumière
matinale. Je savais que j'allais perdre totalement
mon père; que je ne le reverrais jamais plus.
Mais l'idée de le revoir sous la forme d'un ange
ne m'aurait apporté aucune consolation. L'idée de
participer éternellement avec lui à la gloire de
Dieu ne m'aurait apporté aucun repos puisque,
précisément, c'était ce que nous faisions à ce
moment même, lui et moi : lui en mourant, moi
en l'écoutant s'éloigner. L'événement qui allait
se produire, mon sang le connaissait en naissant.
Dans toute la durée de l'amour terrestre que
j'avais eu pour mon père, je n'avais jamais été
trompé par de fallacieuses promesses. Je savais
que le temps viendrait où il faudrait nous séparer
pour toujours; il était venu, voilà tout. La poésie
des livres saints ne pouvait pas m'aider. La seule
chose qui m'aidait, c'était ce bruit dans l'éloigne-
ment... Et, bêtement, parce que j'étais jeune et que,
parfois, des mots vous sont apportés dans la vie
dans les circonstances où ils ne sont même pas
nécessaires, je me disais, nous sommes honnêtes.

Il me sembla que le temps s'était arrêté. Je m'approchai de mon père, je le touchai; il avait complètement disparu. Aucune mesure humaine ne
mesurait plus son temps.

L'ami qui était ici depuis quelque temps avec
moi, est venu me dire au revoir. Il doit repartir
demain pour Paris. Il s'est assis à côté d'une des
fenêtres de ce que nous appelons mon phare et qui
est la petite pièce où je travaille et qui domine

de très haut toutes les collines et la plaine. Et je
suis assis près de lui. Je lui dis :

— Si je t'ai parlé de mon père, c'est pour répondre
par un détour aux questions que tu m'as posées
sur les " Vraies Richesses ". Je voulais te dire
que ce problème de la joie qui s'est de nouveau
trouvé devant moi avec toutes ses énigmes au
début de l'année 1934, j'avais déjà eu à le résoudre
dans des circonstances autrement importantes. Ce
qu'il faut à tout prix, c'est que la vie continue.
Mais tu comprends bien que ce « à tout prix », ça
veut dire qu'il faut être considérablement riche?
Si tu en vois précisément autour de toi qui ne
peuvent plus continuer la vie, résoudre le problème, c'est qu'ils sont trop pauvres et qu'ils ne
peuvent pas « payer le prix ». La joie est chère;
mais les richesses avec lesquelles on peut l'acquérir et la garder, ces richesses, on peut les ramasser autour de soi, tant qu'on en veut. Seulement,
là, il n'est plus question de poète, mon vieux, il
est question de réorganisation sociale et de la
transformation de toute notre culture (une forme
de poésie d'ailleurs). Notre système actuel de société,
c'est un fait évident, n'a apporté de joie à personne. Notre culture, c'est un appauvrissement
continuel. Regarde autour de toi tous les déses-
pérés! La religion? Elle a failli à ses devoirs. Elle
est le soutien naturel de cette société qui traîne le
malheur sur la terre comme une herse de fer. Elle
est comme ces hautes flammes du soleil qui se
détachent de la masse de feu et roulent dans
l'espace, se refroidissant en mondes noirs qui
s'éloignent de l'astre générateur et plongent
dans les abîmes. Il y a bien longtemps que la
religion n'a plus aucun rapport avec Dieu.

« Quelques-uns m'ont écrit après avoir lu la préface des " Vraies Richesses " pour me reprocher d'avoir supprimé le nom de Jésus dans le titre du Choral de Bach que j'ai pris pour titre de mon livre précédent. C'étaient, pour la plupart, des catholiques dissidents, disaient-ils, et je crois que ce sont des gens qui n'osent pas faire des gestes complets.

« D'autres m'ont affirmé que la joie de Jésus n'était pas une joie de renoncement, puis ils se sont moqués de moi parce que j'avais dit qu'il n'était pas difficile de renoncer à son corps, et ils m'ont parlé des ascètes. D'autres m'ont affirmé que Jésus leur avait donné la joie et je leur ai écrit pour leur dire qu'ils n'avaient donc pas à en chercher une autre, car la joie est une. Mais je ne vois pas que leur joie se soit bien répandue ni qu'elle ait créé de grands foyers rayonnants, et je leur ai quand même écrit, qu'à mon avis, la joie était une question sociale. Il s'agit maintenant de construire sa joie soi-même. Nous en avons les moyens. C'est devenu une sorte de travail artisanal et manuel. Ça n'est plus une disposition d'esprit, c'est sur le point d'être la vraie joie, corporelle et spirituelle. Il ne faut plus entendre cette recherche de la joie comme une spéculation de l'esprit. Il faut l'entreprendre comme on entreprend une œuvre matérielle. Car je ne recherche pas, ni pour moi ni pour les autres, la joie pleine de rouages du joueur d'échecs, mais la joie, par exemple, du tilleul fleuri, ou de n'importe quel arbre rayonnant. C'est pourquoi il est inutile de rechercher la joie dans un certain ordre social où elle n'existe pas, dont l'armature est précisément l'assujettissement des hommes au travail sans profits, dont la loi vitale est le déséquilibre générateur du Capital, un ordre social que Jésus n'a pu abolir malgré tous ses efforts. Alors, n'appelons plus : " Jacques, Pierre, Paul, faites que notre joie demeure. " Disons simplement : " Que notre joie demeure ", sachant que nous en sommes les seuls artisans.

« Voilà pourquoi je t'ai parlé de la mort de mon père.

« J'aurais voulu que tu restes encore un peu avec moi. Tout compte fait, tu ne vas pas trop t'éloigner. Quand reviens-tu? »

Alors il se lève, car il doit aller préparer ses valises à l'hôtel, et encore une fois, nous regardons le ciel du soir.

— C'est effarant, dit-il, ce qu'il y a d'hirondelles.

Les deux textes suivants : Promenade de la Mort et Départ de l'oiseau bagué le 4 septembre 1939 *et* Description de Marseille le 16 octobre 1939, *sont extraits d'un roman intitulé* Chute de Constantinople *qui paraîtra en son entier plus tard* [1].

PROMENADE DE LA MORT ET DÉPART DE L'OISEAU BAGUÉ LE 4 SEPTEMBRE 1939

1

Cela commença en même temps de différentes façons dans tous les endroits de la terre, mais là où j'étais témoin, ce fut un nommé Moutte qui nous apporta la nouvelle.

Je venais juste de rencontrer Abbolénus dans les solitudes de la montagne de B... Je lui dis : « Tu chasses? — Non. » La chasse avait été interdite brusquement la veille, à quelques jours de l'ouverture; cependant Abbolénus se promenait avec le fusil démonté dans la musette, et en une minute, il pouvait avoir l'arme prête dans les mains.

— Qu'est-ce que vous pensez des événements? dit-il.

— Rien.

— Ce coup d'interdire la chasse? Est-ce qu'ils veulent vraiment économiser la poudre?

1. *(Note de l'auteur.)* Ce sont les deux seuls fragments d'un ouvrage qui n'a pas été achevé. *(Note de l'éditeur.)*

— Oh! je crois que la poudre de chasse ils s'en foutent, tu sais.

Je descendais dans un vallon quand je vis Moutte. Il était assis sur le devant d'une vieille automobile découverte qui montait lentement les lacets de la piste. Un enfant conduisait. Je les regardais passer à dix mètres au-dessous de moi. Moutte était habillé du dimanche et sa chemise empesée faisait un effet sinistre dans ce vallon loin de tout. Au bout de la piste, l'enfant arrêta la voiture. Moutte monta en courant le mamelon qui domine les bois. Devant qui allait-il ainsi, en cérémonie, sur les hauteurs? Là-haut, il mit ses mains en cornet devant sa bouche et il cria. Il ne pouvait pas me voir; il n'était pas possible qu'il puisse voir Abbolénus ni voir personne dans toute la solitude de B... Il se tourna de mon côté; j'entendis qu'il criait tout seul : Mobilisation générale.

La nuit venait.

Elle était debout; elle s'agenouilla dans les montagnes; elle se coucha sur la terre.

Ce fut une extraordinaire nuit sur toute l'Europe. Il n'y avait plus aucun feu ni aucune lumière. C'était nouveau. Ça avait l'air d'être la première nuit sérieuse. C'était en réalité très ancien : la nuit reprenait ses vieilles habitudes d'avant l'invention du feu. Au moment où elle se coucha avec sa lenteur géante sur l'Allemagne, l'Italie, la France, l'Espagne, l'Angleterre et quand elle plongea ses bras rouges dans l'Océan, les dernières lumières de la terre furent, à travers les vastes pays, quelques frissons dans le feuillage des arbres; puis il y eut comme le souffle qui comble la profondeur des miroirs et ce fut la nuit mate, partout.

Les villes éteintes, les villages éteints, les
fermes éteintes. On avait bouché les fenêtres avec
n'importe quoi : des sacs, des vieilles robes, des
manteaux, des couvertures. Avant d'ouvrir les
portes pour sortir, on éteignait. On se disait
adieu dans l'ombre. Les hommes qui partaient
à travers cette nuit noire ouvraient leurs bras en
croix. Vers les dix heures du soir les ténèbres
avaient verdi et elles battaient dans les visages
comme les feuillages froids d'une forêt.

Malgré la saison, il y avait eu dans les huit
jours précédents un vent très robuste. Il avait
raclé le ciel sur une énorme étendue. Dans ce vide
pur les étoiles arrivèrent extraordinairement
piquantes et grosses comme des châtaignes sur
l'arbre. La terre tomba en bas comme une lie et
le déroulement noir des horizons se mit à tourner
sous le clair d'étoiles.

Le voisin frappa contre le volet.

— Dis donc, Marcellin, qu'est-ce que tu fiches
là-dedans?

— Rien.

— Viens. Moi je suis sorti.

— Pour quoi faire?

— Viens donc, on va voir si le Joseph fait marcher sa T.S.F.

C'était un petit atelier de mécanique. Le Joseph
répare les vélos. Sa grande ambition, c'est de faire
de la réparation automobile. Il a la passion de la
mécanique et des compas précis au centième de
ligne. Quand il entendit ouvrir la porte de l'atelier,
il arriva. Il dit : « Tiens, c'est toi, Pierre? Bonsoir,
Marcellin, entrez donc là-bas dedans; les autres
y sont déjà, ça va parler. » Juste à ce moment-là
éclata une énorme voix sans corps. Écoutez

qu'est-ce qu'il dit. Tout ce qui restait au village
était là. Il n'y avait naturellement pas de lumière
sauf le cadran de la T.S.F. qui éclairait un front
et un œil de femme et d'autres. « Qu'est-ce qu'il
dit? Il parle en allemand. Il n'y a personne qui
connaît l'allemand ici dedans? — Moi, je connais
un peu l'allemand. — Où c'est que tu as appris
l'allemand, toi, Pierre? — Pendant que j'étais pri-
sonnier. — Qu'est-ce qu'il dit? — Écoutez. Taisez-
vous. — Il crie. — Oh! de toute façon, ça ne peut
plus s'arranger. — S'il voulait, ça pourrait encore
s'arranger. — Il n'aurait qu'à... — Non, on ne peut
pas. — Nous n'aurions qu'à... — Comprends-tu
ce qu'il dit, Pierre? — Non, pas beaucoup. Il ne dit
rien. — Écoutez s'ils applaudissent. — Ce sont des
fanatiques. — Prends donc Paris. Voir un peu ce
qu'on dit chez nous. — On parle français, écoutez :
— Honneur, Patrie, Civilisation, Devoir, Culture,
sacrifice, décisions, décisive, héroïque, canon, natio-
nal, victoire, commande. — C'est foutu, dit Marcellin. » Il y avait ce petit raplot de poste, le petit
nain; on l'avait mis sur un guéridon; il était campé
là-dessus; il continuait à parler à haute voix et d'y
aller carrément avec tout ce que précisément on
ne voulait pas entendre. Il avait une bouche allu-
mée et ouverte en trou mort comme la bouche
des masques. Cette bouche qui parle pour tout le
monde du haut des remparts de Thèbes pendant
que le destin s'approche de la ville endormie. Un
homme se leva : « Prenez ma place, Marcellin.
— Ne vous dérangez pas, monsieur Roche, je suis
très bien ici. — Non. Je vais prendre l'air. » Dehors,
c'est la nuit et les renards s'énervent dans les
collines. On les entend cliqueter des pattes jusque
dans les pierres sous les cyprès du cimetière, puis

japper contre le vent qui se calme. La nuit monte
lentement vers son sommet. Il avait un jour
occupé les gosses de son école primaire à faire des
masques en carton. Il était sorti de leurs doigts
des visages ainsi crevés d'une bouche violente.
— *Je viens, quittant la caverne des morts et les
portes des ténèbres où s'étend l'Adès loin des Dieux,
moi, Polydore, né de Hécube...* Il n'avait certes
pas l'intention de leur faire jouer l'*Hécube* d'Euri-
pide, mais c'est au spectre de Polydore qu'il pensa
tout de suite, quand, le masque de papier blême sec,
un petit garçon se l'appliqua sur le visage.
« Attends, dit-il, garde-le et répète ce que je vais
dire : *Je viens, quittant la caverne des morts...* »
Le gosse l'avait répété avec la voix qu'ils ont pour
réciter les fables de La Fontaine et cependant il
devint brusquement, au milieu de cette classe
d'école primaire, le spectre même du petit enfant de
reine assassiné par l'hôte étranger sur les rivages
troyens. Le destin veut des messagers imputres-
cibles. Quand le masque fut dégagé de tous ces
visages de gosses qui l'essayèrent l'un après l'autre,
monsieur Roche le prit dans ses mains et il regarda
du côté en creux et du côté en relief. Du côté en
relief il y avait cette apparence de visage humain, et
tout de suite, avant qu'on en comprenne l'étrangeté
des yeux vides et de la bouche violente, cela faisait
penser à un être humain un peu pâle; mais du côté
en creux, c'était comme l'empreinte d'une force.
Cela faisait penser à la force qui oblige les visages
à être ce qu'ils sont.

Il valait beaucoup mieux, en somme, penser à
ça, plutôt que de penser à la guerre, d'autant qu'on
ne pouvait plus rien y faire. Il valait mieux être
ainsi seul sur le petit sentier de l'aqueduc, montant

vers la colline sous la nuit noire, dans laquelle
cependant se tordaient lentement les flammes
encore plus noires des cyprès plutôt que d'écouter
là-bas dedans...

Les renards jappaient sous les ruines de cet
aqueduc romain; un tout petit aqueduc romain,
le seul qu'on pouvait voir à des centaines de kilomètres à la ronde, perdu dans nos montagnes
arides, blanches et éperdument sèches sous le
ciel bleu. Il avait finalement pendu ce masque à
un mur de sa petite chambre de célibataire. Il y
représenta la violence de la passion. Il y voyait
le visage de bête d'Électre quand elle aboie à voix
basse, « frappe, frappe », avec sa voix enrouée.
C'était bien ce visage troué, crevé par l'extraordinaire sensualité de ce qu'il désire, sans yeux, sans
lèvres et sans langue. Ce papier, c'était bien la
peau blême de l'être vivant dont le cœur a tout
d'un coup tant besoin de sang qu'il s'enroule
dans les veines et dans les artères comme une
araignée qui se pelote dans ses pattes. Il avait soudain pensé à ça, le long de certaines après-midi
d'été pendant des dimanches de villages. Étendu sur
son lit de célibataire, la paillasse creusée comme un
hamac, les draps sales boudinés en noyaux de pêche
sous ses reins, rien tout autour, loin tout autour et
devant lui, ce masque. Il s'était juré de ne plus
mettre les pieds à la Clémentine et il tiendrait le
coup. Il n'était qu'un vieil instituteur. Mme de Saint-
Julien certes s'ennuyait là-bas dans ses ormeaux
centenaires, dans ses corbeaux que le vent écrasait
contre les vitres, oui, mais ces lueurs d'argile
humide qui coulaient dans la coiffure à la catogan,
un peu lourde, retombant sur des épaules de mé-
sange et ces yeux verts comme la mousse, c'était

terrible. Tout ce qu'on connaissait allait disparaître; d'ailleurs, cette guerre allait tout changer.

C'est la première nuit de la civilisation (un mot
commode) qui va remplacer celle qui nous a menés
jusque-là. Le guetteur qui aperçoit dans l'aube les
voiles de la flotte d'Agamemnon crie au-dessus de
la ville : « Ça va finir; ça arrive; tout commence. »
Il devait avoir le visage d'acajou mort et cette
bouche vide et violente de l'appareil de T.S.F.
Rien n'est plus tendre qu'un visage de laboureur.
Tant que les sillons se replient l'un contre l'autre
il n'y a pas de drame. Électre n'est rien quand elle
passe avec son extraordinaire lenteur de folle sur
les chemins entre les labourages fumants. Elle n'ap-
porte pas le quatre-heures; elle ne va pas faire la
soupe. Il est vrai que certains mots de Mme de Saint-
Julien faisaient oublier la soupe. Ce qu'elle fait,
c'est qu'on la voit passer pas à pas, haletante
comme une renarde enragée; on n'aimerait pas
avoir dans sa maison ce visage imputrescible, cette
bouche large ouverte dont l'ombre est sanglante.
Quand on avait allumé l'appareil de T.S.F. chez
Joseph, la bouche s'était ouverte. Tout le monde
avait ainsi un masque tragique particulier pendu
chez soi; un trou mort par lequel à chaque instant
pouvait parler le destin. On s'était imaginé tout le
long des temps qu'on appela modernes que les
hommes avaient enfin réussi à chasser les dieux
de la terre et à s'appeler dieux à leur place. A travers les machines et dans les machines la terre se
redivinisait. Sans trop se salir les cheveux, Mor-
gane avait passé sous le ventre de Rossinante et,
au-delà de Don Quichotte, elle continuait à enchanter les temps. La guerre qui allait se déclarer, tout
le monde la voyait, pendant cette première nuit,

comme un immense lâcher d'oiseaux. On aurait
beaucoup surpris le Joseph si on lui avait parlé
d'oiseaux enchantés, d'anges carbonisés, raidis
ailes ouvertes, s'écroulant de la hauteur du ciel;
il aurait sans doute écouté poliment, il aurait souri
dans ses moustaches rousses; il aurait dit : « Ce
sont des histoires pour les gosses. » Il n'avait
confiance qu'en la précision de ses compas. C'est
précisément d'entre les branches de ces compas
que sortaient maintenant les éléments magiques et
qu'ils allaient sortir de plus en plus nombreux,
de plus en plus divers, à mesure que cette guerre
allait se continuer jusqu'au moment où la mort
elle-même installerait de nouveau sur la terre le
vieux théâtre des dieux, dans la brume imperceptible qui flotte au-dessus des massacres. Tout le
monde savait que les avions font plus de 500 kilomètres à l'heure. Il y en avait des nids partout dans
toute l'Europe. On ne pouvait passer sur aucune
route sans finir par longer une de ces aires chauves
d'où les oiseaux aux ailes raides pouvaient prendre
brusquement leur vol, monter, tourner, s'attendre,
s'amasser comme des hirondelles et partir en bandes
vers les proies. Ils pouvaient écraser les villes et
les campagnes sous du feu. Ils pouvaient empoi-
sonner tout l'air avec des vapeurs qui rongeaient
les yeux et déchiraient les poumons. Quand la
respiration de ce qu'on aime est si admirable;
quand, précisément à ce qu'on aime, on dit : je voudrais te donner l'air le plus pur du monde. Il y avait
même quelque chose de plus magique encore, dans
ce qu'en 1939 et les années qui précédèrent on
appela les gaz asphyxiants, et cela venait également
des oiseaux : il suffisait qu'un de ces oiseaux s'en
aille seul, dans la nuit, dans le désert des étoiles.

Il faisait sa ronde. On se taisait sous la terre
éteinte. On l'entendait tourner là-haut, puis partir. Mais le danger n'était pas passé. C'était au
contraire à ce moment-là que le plus étrange des
enchantements apparaissait. Il y avait des gaz invisibles et qui ne sentaient absolument rien et l'oiseau
qui avait semblé seulement faire une ronde
au-dessus des forêts ténébreuses les avait silencieusement lâchés. Ils tombaient lentement
comme de longs fantômes translucides. Ils touchaient la terre, se pelotonnaient derrière les haies,
se couchaient sur les eaux des étangs, attendaient
à chaque seuil, derrière chaque porte, cernaient
les villages et les fermes. Quand le soleil se levait,
ils n'obscurcissaient pas le soleil; ils n'étaient rien,
et dès qu'on les touchait, ils tuaient d'un seul coup
comme la foudre, jetant par terre les hommes changés en pierre. La première partie de Don Quichotte
parut à Madrid en 1605. On s'était vraiment
donné beaucoup de mal pour rire pendant 335 ans
de la folie du chevalier maigre. Il a suffi, disait-on,
qu'il promène autour de lui son regard égaré pour
désenchanter la terre. Qui croira désormais à la
forêt de Brocéliande? La forêt de Brocéliande
était de nouveau descendue se planter sur la terre.
M. Roche pensa à Mme de Saint-Julien. Cette jeune
femme était seule dans sa prison d'ormeaux et de
corbeaux. Il ne s'était jamais expliqué comment
elle se trouvait là dans cette maison solitaire, si
longtemps abandonnée depuis le jour où, passant
devant la Clémentine, il avait vu les fenêtres
ouvertes. Il était entré dans le grand parc d'ormeaux pour aller voir, croyant que les dernières
rafales du vent avaient dégoncé les volets. Pas
du tout, il y avait une femme de chambre et elle

appela Madame, et Madame dit en souriant :
« Non, ce n'est pas le vent, c'est moi, mais
asseyez-vous, je vous en prie » (avec cette petite
lassitude traînante de la voix quand elle prononçait
les « s »). Et maintenant novembre ne tarderait
pas à être là. Et qu'est-ce qu'elle allait faire? Quand
le vent de novembre fait jaillir le ressac des feuilles
sèches contre les balustres de la terrasse; et qu'à
travers le grillage flottant des grands arbres nus
s'élargit, de jour en jour plus vaste, plus sèche, plus
dure, l'étendue du plateau sur lequel galope le froid
enveloppé de nuages de poussière, quand, toutes
les nuits, les forêts viennent hurler à la fente des
portes. Est-ce qu'elle allait tenir le coup, elle aussi?
Mais est-ce qu'on serait seulement encore vivant,
en novembre? De toute façon, moi, ma vie est foutue à cinquante-trois ans. S'il n'y avait pas eu la
guerre, j'avais peut-être encore... mais maintenant... Si vraiment les avions venaient, il emprun-
terait une bicyclette. Il était encore capable de faire
les dix-huit kilomètres. Il irait sans rien dire se
mettre près d'elle. Caché sous les arbres, il ne se
ferait voir que si elle criait au secours. Tonnerre
de Dieu, ce qu'il faudrait maintenant, c'est d'avoir
le sang comme celui des caméléons. Si l'on avait
cette faculté instinctive, je fais le pari que demain,
dès le jour levé, tous les hommes seraient verts
comme de l'herbe, perdus dans l'herbe, ou bien,
comme certains insectes qui pour se cacher et
continuer à vivre deviennent pareils à des brin-
dilles de bois, je fais le pari que demain, sans mot
d'ordre, tous les habitants de l'Europe seraient
changés en arbres; pas un gouvernement ne recon-
naîtrait les siens.

La nuit avait dépassé son sommet. Les constellations descendaient. Déjà parfois, la terre se confondait avec le ciel dans des ténèbres sans lueur. L'est était maintenant dans une terrible immobilité opaque et verrouillée. On ne pouvait pas vraiment s'imaginer que le jour allait de nouveau sortir d'un endroit pareil. On n'était pas sûr d'être encore vivant en novembre. Demain ne signifiait plus rien. On ne languissait plus du tout d'entrer dans l'avenir.

2

— Bioque! quelle heure est-il?

Elle gueula d'en bas : « Minuit! »

Le comte aimait l'écho des grandes voûtes, c'est pourquoi au lieu de parler il criait. Surtout quand il appelait la Bioque. Et il aimait qu'on crie.

— Qu'est-ce que tu fous, en bas?

— Je prépare votre fourbi.

— Je vais t'apprendre la politesse, petite vache. On dit : votre fourbi, monsieur le Comte.

Elle se tenait généralement en bas, dans la salle de garde. L'escalier grandiose où le comte faisait sécher ses tresses d'ail descendait en tournant comme l'intérieur d'une énorme corne de bélier. Il suffisait de dire un mot sur le palier pour que toute la sonorité se mette à battre des ailes dans tous les coins et quand on criait, les échos claquaient de partout la pierre à mains nues. Surtout la nuit. Parce que dès que la nuit venait, on fermait la porte de la tour à cause de l'humidité qui montait du torrent et faisait pourrir les oignons. Le comte mettait toutes ses provisions dans l'escalier; les marches étaient larges et tournaient tout

le temps en éventail; il mettait là-dessus ses couffes
d'oignons, ses sacs de pommes de terre, la cruche
qu'il allait remplir d'eau à la source, et, à même
les dalles, les betteraves, les racines rouges, les
épinards que le froid de la pierre conservait. C'était
sa resserre. On ne pouvait pas trouver de meilleur
endroit dans les trente-quatre grandes salles du
château : il pleuvait à peu près dans toutes, et en
tout cas, dans toutes il y avait trop de chauves-
souris; il y en avait une épaisseur de quarante
centimètres au moins dans les solives, toutes accro-
chées les unes aux autres avec tout le temps par
là-dedans des battements d'étoffes et des papillon-
nements de velours, et ce qu'elles font tombe de
là-haut comme du poivre en grains et c'est un peu
dégoûtant d'en trouver dans les feuilles de choux,
les épinards, les lentilles et tout. Tandis que dans
l'escalier, il y avait toujours une sorte de flam-
boiement d'air froid, dès qu'elles arrivaient là,
elles partaient en criant comme des folles. De plus,
tout se conservait dans le courant d'air et enfin,
le plus gros de tous les avantages : il ne pleuvait
pas dans l'escalier. Il suffisait de ranger les provisions bien contre le mur et de laisser le milieu
libre pour que l'eau de pluie venant des salles
puisse s'écouler jusqu'en bas. D'ailleurs, au milieu
des marches, le marbre s'était un peu creusé
comme un petit lit de ruisseau et il n'y avait plus
à s'en faire. Non, la seule chose importante, c'était
de fermer la porte de la tour chaque soir. Il avait
même dit : « Tu n'as qu'à ne pas ouvrir cette porte;
elle est trop difficile à fermer. — Et mon soleil,
alors quoi, avait dit la Bioque. C'est une drôle
de maison, ça ici. — Qu'est-ce que c'est? dit-il.
Qu'est-ce qu'il y a de drôle dans ma maison?

— Rien, dit-elle, mais on a juste une porte par laquelle le soleil entre, et moi, je l'ouvrirai. Oh!
et puis dites, quand j'aurai vingt ans, il ne faut
pas vous figurer que je resterai ici. — Oui, eh bien,
tu as le temps d'attendre, tu n'as que quatorze
ans. Ouvre la porte, ça te regarde, puisque c'est
toi qui la fermes. — Bien sûr que ça me regarde.
— Et d'abord, sois polie, dit-il, ça te regarde, c'est
entendu, mais je suis comte, et dis-le quand tu me
parles. Nous ne sommes plus chez les bohémiens,
ici. »

La porte de la tour donnait sur trois pas de
rochers blancs incrustés de lavande juste au bord
de l'à-pic qui dominait les peupliers du ruisseau
et l'entrée sombre de la gorge où se faufilait l'eau
de la petite route. De là-dessus on voyait ce pays
pas très grand, avec toutes ses terres penchées
en flanc d'entonnoir vers cette entrée de gorge,
et ce rocher où le château était assis. Les terres
labourées venaient s'emmancher dans cette roche
et se dépliaient tout autour comme des plumes
d'éventail. Tout ça montait jusqu'au col de T...
qu'on voyait très bien avec sa croix et tous les
jours, à onze heures là-haut, le facteur assis qui
fumait sa pipe. Presque tout le temps, le soleil
frappait d'aplomb sur cette porte; et dès qu'il
prenait son oblique, il s'allongeait dans le couloir
jusqu'à presque aller toucher le seuil de la salle
de garde. La Bioque, alors, quittait son éplu-
chure, et elle venait dans le couloir le long du
soleil jusqu'à la porte ouverte. Elle sortait sur
le rocher; elle fermait les yeux; au bout d'une
minute, il était déjà brûlant comme une forge;
elle disait : j'ai les yeux pleins de vin, et, la tête
illuminée par ses paupières rouges, elle écoutait

en bas dessous le bourdonnement continu des peupliers. « Si vous croyez que je vais me priver de mon soleil. — Ta gueule, dit le comte, ne m'emmerde pas. Puisque c'est toi qui l'ouvre, ferme la porte. Un point, c'est tout. Laisse seulement entrer l'humidité un soir, et les pommes de terre seront foutues et tu iras manger sur les graviers du Malvant. » Mais la Bioque fermait soigneusement la porte chaque soir. Elle y mettait un quart d'heure. Elle la tirait d'abord avec ses petites mains. Elle la faisait avancer à peu près d'un mètre. Elle la poussait par-derrière avec ses petites épaules et elle la faisait encore avancer à peu près d'un mètre. Après, elle la finissait à coups de pied. Il en fallait à peu près cinquante-huit. Le comte les comptait. Parfois cinquante-neuf, puis la porte claquait contre le mur, et le verrou. « Et je t'en foutrai, disait la Bioque, vache de porte. » Elle s'en allait vers la salle de garde, traînant ses pantoufles sur les dalles du grand couloir. Les échos s'éteignaient un à un et le comte cessait peu à peu de sourire, puis brusquement il était triste pendant que ses lèvres marquaient encore ses joues des deux côtés. Le bruit était vraiment pour lui un bon compagnon. Après ça, la Bioque allumait le feu; puis elle traînait des morceaux de bois plus gros qu'elle. C'était l'occasion de sourire encore, car le bruit qu'elle faisait se répercutait dans toute la maison. La maison existait, sans le bruit on ne pouvait pas savoir qu'elle était si vaste et faite pour qu'on puisse monter à cheval jusqu'au sommet de toutes les tours et dans toutes les grandes salles du deuxième étage. Avec les bruits, on le savait, ils exploraient les creux; on n'avait pas besoin de réfléchir ou d'imaginer, on entendait

toute la grandeur de la maison. Ainsi le soir était
devenu le moment le plus magnifique de la journée; et le comte rentrait toujours avant que la
Bioque commence son trafic. Il avait beau être par
exemple en train de tourner le foin de Chon devant
un orage, dès qu'il sentait l'heure, le pape même
ne l'aurait pas retenu. Chon même ne le retenait
pas. « Comte, disait Chon, ne fais pas l'andouille,
et passe-moi l'herbe, que l'eau vient. — Ta gueule,
disait le comte, je veux bien t'aider tout le jour,
mais maintenant j'ai mes affaires. — Qu'est-ce que
tu peux bien avoir comme affaires, disait Chon.
Tu me désempares quand tu dis ça. Tu crois que
ce n'est pas une affaire, si mon foin se mouille? »
Mais le comte disait : « Ne mélangeons point les
torchons et les serviettes »; il posait délicatement
sa fourche contre le tronc du chêne et il s'en allait.
« Tête d'âne, disait Chon. Tête de gourde, tête
d'abruti. » Il sautait de la charrette, prenait la
fourche, faisait voler le foin là-haut dessus, tirait
le char à coups de gueule le long des andains et,
la plupart du temps, il réussissait à charger avant
les premières grosses raies d'orage. Puis il se mettait au trot des deux chevaux à danser avec son
chargement dans le mauvais chemin pour le plaisir de rattraper le comte qui courait lui aussi sous
la pluie et de lui gueuler au passage : « Tête de
couenne. » Après l'avoir dépassé, il se mettait
debout sur le char et il lui criait : « Cours, ma
vieille bique. Relève tes fesses, tu fais de la poussière. — Ta gueule, monsieur Chon », disait le
comte. Mais Chon l'attendait ensuite devant sa
porte. « Tu n'es pas mouillé, vieille noix? — Non,
mon vieux lapin. — Tiens, prends une saucisse. »
Le comte la raflait et montait en courant au

château. Il arrivait toujours avant le commencement du bruit. Il n'avait pas repris son souffle que la porte grinçait puis que les coups de pied sonnaient dans les échos des corridors et des voûtes, les chauves-souris secouaient leur laine noire dans l'ombre et sur le palier du deuxième le vieux clavecin commençait à trembler. Des fois, il prenait la cruche pour descendre à la source chercher de l'eau, mais en sortant il voyait le soleil comme un abricot juste sur le point de toucher le rebord de ce qu'on appelait les grandes ailes : le battement de l'étendue de chaque côté du col de T... C'était le moment; il rentrait. La Bioque commençait son trafic et il entendait la grandeur de sa maison.

Sans les bruits, il n'existait plus rien que trois chèvres. Il fallait les traire et pétrir des fromages que le facteur achetait.

Dans la salle du premier étage que le comte habitait, il y avait un grand tableau de quatre mètres sur trois. Il représentait une bataille maintenant engloutie dans de la crasse de fumée de bois sauf dans le bas, un rond de la grandeur à peu près d'un visage, nettoyé soigneusement où apparaissait justement un visage de femme et une petite fleur de prairie simple, mais très belle : une sorte de pissenlit enchanté. C'était une jeune femme avec un menton déjà veule mais une bouche capable d'un amour exceptionnel. Elle devait être couchée dans un pré; elle devait regarder, peut-être même juste au-dessus d'elle, une mêlée de cavaliers, de lances et de sabres. Les yeux semblaient faux comme les yeux de quelque grosse bête paisible jouissant sur place. Le comte lui ressemblait, avec un menton encore un peu plus lourd.

C'est la Bioque qui avait nettoyé ce coin de tableau; elle crachait sur un bout de tablier et elle frottait la toile. C'était juste derrière la table où le comte pétrissait ses fromages, à l'endroit où il s'asseyait. « Qu'est-ce que c'est que cette femme-là? dit-il. — C'est vous, habillé en femme, vous ne voyez pas? — Je n'ai pas les cheveux blonds, moi! — Non. — Je n'ai pas ces yeux-là, moi! — Non. — Je ne suis pas rond comme ça, moi! — Non. — Alors, où vois-tu que c'est moi? » La Bioque regardait le visage peint, clignait de l'œil, penchait sa tête d'un côté et de l'autre, comme une poule. « Oh, puis d'abord, dit-elle, ça n'est pas à vous qu'elle ressemble, ne vous figurez pas. C'est à monsieur le Marquis. »

Monsieur le Marquis, c'était l'oncle. Tout le monde l'appelait l'oncle, sauf la Bioque qui l'appelait monsieur le Marquis. Il avait soixante-quinze ans. Il habitait au haut de la tour, une pièce ouverte de tous les côtés sur la campagne. Quand la Bioque était entrée au château, elle avait fait rondement son affaire de toutes les choses. « Qu'est-ce que c'est que cette casbah? » avait-elle dit, et le soir même, elle avait arrêté net les jurements spéciaux du comte. « Ah! je vois ce que c'est, dit-elle, vous, vous êtes un mal embouché. » Les petites mains sur ses petites hanches d'aplomb, les jambes un peu écartées, le regardant en face : qu'est-ce que c'était cette enfant maigre avec sa voix précise et sa volonté d'existence? Après ça, les jurons du comte ne furent plus que des amusements. Ça avait été entendu du premier coup comme ça entre eux deux une fois pour toutes. Mais avec l'oncle, la Bioque avait pris lentement ses précautions. C'était un

petit vieillard blanc, habillé d'une redingote de
velours, de culottes de cheval, de bas de laine et
chaussé de sandales espagnoles à semelles de corde.
Il lui avait dit : « Bonjour, Mademoiselle, je vous
souhaite la bienvenue », la saluant deux fois de
sa main blanche. Oh! ça, c'était une drôle d'histoire. Elle le mesura du regard des pieds à la tête.

On le voyait rarement dans la maison. Il restait
tout le temps là-haut dans ce qu'il appelait son
cabinet. Ou bien, il sortait, ou bien, il passait dans
les escaliers et les couloirs, mais sans bruit, sans
un mot, sans traces. Parfois, il apparaissait au fond
des champs dans l'étendue, tache noire, avec, sur
lui, la plus petite tache d'une musette blanche qu'il
emportait toujours dans la campagne. Un jour,
Chon appela la Bioque. « Tu te plais là-haut? »
lui demanda-t-il? Elle fit la moue, mais elle
répondit sèchement : « Oui, je me plais. » Avec
l'air de dire : « Mêlez-vous de vos affaires. » Chon
fit semblant de regarder un nuage, très loin : « Oh!
dit-il, on comprend que c'est plus facile que de faire
des paniers et de voler des poules. » Tout de suite,
très sec, elle dit : « C'est pas les poules qu'on vole,
c'est les imbéciles. » Et ça le fit rire. « Oh! viens ici,
dit-il en riant, viens, je vais te donner du café. »
Il fouilla dans la boîte; il lui donna une poignée
de café en grains. « Tu t'en feras une petite tasse.
Ils n'en ont pas là-haut? — Non. — Eh bien, je leur
en donnerai, dit-il, mais pas tout de suite, je suis
fâché pour deux jours avec le comte, dans deux
jours, je lui en donnerai. Ils ont encore du pain?
— Oui, dit-elle. — Et toi, ne t'inquiète pas si tu as
besoin de quelque chose n'importe quand, viens me
voir et dis-le-moi. » Elle remonta là-haut, avec sa
poignée de café. Quand le comte était fâché avec

Chon, il partait seul l'après-midi et il allait dormir
dans un bois de bouleaux sur le sentier des Ver-
gnerins. Pendant l'après-midi, la Bioque écrasa le
grain et fit une tasse de café. Elle chercha dans les
placards et trouva une petite tasse; elle aurait
voulu une soucoupe, mais il n'y en avait sûrement
pas. Elle monta là-haut dans la tour. Elle frappa à
la porte. Une fois, puis deux fois, parce que la première fois, ça avait été vraiment un très petit coup.
La voix blanche dit d'entrer. Elle entra.

C'était une grande pièce ronde et elle était pleine
d'oiseaux. Ils étaient comme vivants, mais morts.
Montés sur une petite tige de fer, plantés sur une
petite plaquette de bois, et rangés sur des étagères
sur tout le pourtour des murs, entre les six grandes
fenêtres dans lesquelles se déroulait toute l'ondulation du pays. « Je vous souhaite la bienvenue,
Mademoiselle », dit l'oncle blanc. Et d'entendre
encore une fois ça, la Bioque pinça les lèvres de
plaisir et secoua doucement ses petites fesses en
gousses d'ail. Elle tendit sa tasse de café. L'oncle la
prit, mais il comprit sans doute la chose un tout
petit peu après coup, car il la posa alors tout de
suite sur le rebord de la table et il prit les deux
petites mains de la Bioque dans ses mains froides
et blanches. « Oh! Mademoiselle, dit-il, comment
pourrai-je jamais vous remercier de toutes vos
bontés? Vous avez eu la gentillesse de penser à moi!
Mais c'est sans doute votre café, je vais vous en
priver! » Elle ne pouvait pas parler. Elle fit :
non, en remuant la tête. Elle le regarda boire.
Elle était devenue elle-même toute blanche, comme
l'oncle. Les oiseaux immobiles, enroulés dans toutes
les couleurs du monde, regardaient aussi. « C'est
le meilleur café de toute ma vie », dit-il. Il y avait

une grande table rectangulaire couverte de livres,
de papiers, de cloches de verre, de flacons étiquetés,
et sur l'endroit qui recevait le plus de jour était
étalé, ailes largement ouvertes, un oiseau mort,
à côté de peut-être cinquante petits couteaux si
bien aiguisés que la lame de certains en était
comme fondue. Sur un livre ouvert, une paire de
lunettes. « Je ne suis qu'un pauvre savant, Mademoiselle. » Il avait l'air très embarrassé. Elle s'approcha de l'oiseau mort. Il avait la couleur des
prés, des bois, du ciel, des ruisseaux et des fleurs.
« C'est un Rollier d'Europe, dit-il. On l'appelle
aussi Geai de Strasbourg, ou Pie de mer ou Pie de
Bouleaux, ou Perroquet d'Allemagne. Mais c'est
par une analogie purement populaire, c'est-à-dire
très superficielle. Il ne faut qu'un coup d'œil sur
l'oiseau, Mademoiselle, ou même sur une bonne
figure coloriée pour s'assurer que ce n'est point
un perroquet quoiqu'il y ait du vert et du bleu dans
son plumage, et en y regardant d'un peu plus près,
on jugera tout aussi sûrement qu'il n'est ni une
pie ni un geai quoiqu'il jase sans cesse comme
ces oiseaux. » (La Bioque n'avait jamais vu de redingote.) C'était curieux cette veste qui avait la
forme d'une échine d'oiseau. « La dénomination de
Geai de Strasbourg est vicieuse à tous égards,
Mademoiselle, dit-il. Il aurait fallu que cet oiseau
ne fût rien moins que commun dans les environs
de Strasbourg. Or, M. Herman, professeur de Méde-
cine et d'Histoire naturelle dans cette ville, a assuré
positivement que les rolliers y sont si rares qu'à
peine s'il s'y en égare trois ou quatre en vingt ans.
Comme ici, d'ailleurs, Mademoiselle, exactement
comme ici. C'est le premier qu'il m'est donné
d'examiner. D'ailleurs c'est un oiseau de passage

dont les migrations se font régulièrement chaque
année dans les mois de mai et maintenant, en
septembre. Le rollier est aussi sauvage que le geai
et la pie. Il se tient dans les bois les moins fréquen-
tés et les plus épais, et je ne sache pas qu'on ait
jamais réussi à le priver et à lui apprendre à parler. Cependant, regardez (il avait pris l'oiseau dans
ses mains blanches et, le dressant, il lui faisait
prendre des allures de vol et d'espace), la beauté
de son plumage est un sûr garant des tentatives
qu'on aura faites pour cela, soyez-en sûre. Regardez, c'est un assemblage des plus belles nuances
de bleu et de vert, mêlées avec du blanc et rele-
vées par l'opposition de couleurs plus obscures.
Tenez, le voilà tel qu'il se présente devant le désir
des hommes quand il plonge à travers le vent. Il
faut cependant savoir que les jeunes ne prennent
leur bel azur que dans la seconde année; au
contraire, précisément, les geais ont leurs belles
plumes bleues avant de sortir du nid. » Il posa
de nouveau le rollier sur la table avec toutes
les précautions de ses mains blanches qui appa-
rurent alors fines, longues, et, quoique vieilles,
souples comme de jeunes mains. « Ah! dit-il,
Mademoiselle, les oiseaux sont l'espèce animale
la plus morcelée. Le mâle est entièrement différent de la femelle, les petits différents du mâle et
de la femelle, les adultes différents des petits et il
y a plus de deux mille espèces diverses d'oiseaux,
sans tenir compte des variations infinies que le
climat, la domesticité, l'événement biologique font
subir à une même espèce. C'est du verre de couleur sur lequel Dieu a marché. Dieu ne cesse
jamais de travailler dans les oiseaux. Nous-mêmes,
Mademoiselle, sans qu'il soit possible d'en avoir le

moindre soupçon, sommes, quant à l'esprit j'entends, des volières d'oiseaux; songez par exemple
que, dès qu'un délire nous prend, qu'il nous soit
occasionné par la fièvre, la folie ou un trauma-
tisme, nous avons immédiatement la tête pleine
de couleurs, pleine de naissance d'oiseaux. C'est une
admirable occupation de la vie, Mademoiselle...
(Il eut une sorte de geste circulaire vers les étagères remplies d'oiseaux, et les fenêtres où serpen-
taient le bleu de la terre et la hauteur du ciel) et
qui, continua-t-il doucement, nous fait comprendre
presque tout ce que la turbulence de nos senti-
ments nous cache. » Il se tut, reporta ses regards
sur l'oiseau, prit un petit couteau aiguisé; sans
cesser de le regarder, la Bioque fit lentement deux
petits pas en arrière et sortit. En bas, dans la solitude de la salle de garde, elle commença à discuter avec elle-même à voix basse. Le soir, comme
elle et le comte mangeaient du fromage près
du feu, elle dit : « Laissez ça, maintenant;
vous en avez assez mangé; c'est le premier fromage un peu bon qu'on a depuis quinze jours; le
reste, je vais le porter à monsieur le Marquis. —
Il n'y a pas de marquis, ici, dit le comte. — Si,
dit-elle, il y a le Monsieur qui habite là-haut. —
Il n'est pas plus marquis que mon fond de
culotte. — Mais il parle mieux que vous, dit-elle,
et moi, ça me fait plaisir de l'appeler Marquis. »

Ce soir-là le comte appela la Bioque et elle
répondit du fond de la salle de garde.

— Regarde un peu, dit-il, si Chon a fait de la
lumière en bas chez lui...

— Vous savez bien qu'on ne peut pas faire de

lumière. (On l'entendit remuer et taper dans la braise.) Vous voulez nous faire bombarder.

— Qu'est-ce que tu veux qu'on bombarde ici, cria le comte. Si tu crois que les ennemis vont s'occuper juste de nous la première nuit. A quelle heure a-t-il dit qu'on partait?

— Minuit.

— Alors monte.

Le comte faisait des fromages. C'était tous les soirs l'heure où il les faisait et ce soir-là, il les faisait encore...

— Vous n'avez pas bouché votre fenêtre, dit la Bioque.

— Bouche-la.

— Avec quoi?

— Avec un sac. Tu as prévenu l'oncle que je partais?

— Oui.

— Qu'est-ce qu'il a dit?

— Rien, il m'a dit qu'il essayait de...

— De quoi?

— Attendez, je cherche. Il dépliait une aile d'oiseau vert.

— Bon, alors. Viens ici, dit-il, cure-moi cette terrine et fais les deux fromages qui restent. Je vais le voir, moi. Est-ce que ce couillon-là se rend compte que c'est la guerre?

Il s'arrêta avant de sortir.

— Qu'est-ce que vous allez devenir, vous deux, ici, quand vous serez seuls?

— Ne vous en faites pas, dit-elle sans le regarder. Nous ne sommes pas des enfants.

3

Chon avait sorti la motocyclette dans la nuit
noire. Il l'avait poussée tout le long du hangar. Il
essaya de voir l'embranchement du chemin
bordé d'aubépine, mais il n'y avait rien à faire, le
noir était trop tenace. Il plaça la machine sur sa
béquille. Il revint frapper à la porte.

— Catherine, viens un peu avec la lanterne.

Les étoiles brasillaient derrière le château.

— Éclaire-moi, dit-il à voix basse. J'en ai pour
cinq minutes. Je vais pousser la machine jusqu'au
bout du sentier. Il faudrait maintenant que le
comte vienne, c'est l'heure.

— Écoute, dit-elle.

Elle avait haussé la lanterne à la hauteur de
leur visage.

— Je ne resterai pas seule dans ce pays, tu m'entends.

Il tourna ses grandes épaules et il se pencha sur
la machine.

— On est là depuis quatorze ans, dit-elle. Et
qu'est-ce qu'on a fait? Rien. Attendre! Attendre
quoi? Que le blé pousse? Il a poussé. Et après?
Attendre toute sa vie? Non. Je suis venue ici
par force. Tu le sais. Je te l'ai assez dit. Si tu
m'avais écoutée, on serait ailleurs, maintenant.
Oui, ailleurs, dans un endroit où les gens vivent.
Pas ici. Tu pars, mais écoute-moi bien : je ne resterai pas toute seule, moi, ici. Je te le répète. Fais
bien attention.

« S'enterrer toute la vie et travailler comme une
bête pour juste manger. Maintenant nous serions

déjà tranquilles. Alors, tu pourrais partir. Oh!
alors tu pourrais. Ne crois pas que ce soit parce
que tu pars. Je peux vivre toute seule, je peux
faire marcher un commerce, va, n'aie pas peur.
Mais, ici, seule, non, je ne resterai pas, tu m'entends. »

Il écouta les bruits à côté du château. Quelqu'un descendait dans la colline.

— C'est toi, Comte.

— Oui.

— Amène-toi; prends la lanterne et fais-moi voir
le chemin, qu'on s'en aille.

— Allume ton phare.

— C'est défendu.

— Ici, rien n'est défendu, dit le comte. On ne va
quand même pas descendre dans le noir à travers les gorges. Allume. C'est moi qui te le dis.

Le brusque faisceau électrique éclaira l'herbe,
tout de suite intensément bleue, puis l'embouchure du sentier entre les aubépines d'automne et,
au fond de la nuit, sur l'autre flanc du vallon, les
écailles d'un sapin bleu.

A mesure que Chon poussa la machine dans le
petit sentier, le bout du rayon de lumière toucha
l'ouverture des gorges et deux rapides coups de
fouet d'une petite route tendue dans les précipices
du torrent. Enfin, il s'arrêta sur la pointe dorée
d'un peuplier. On était arrivé à la route.

Chon, à cheval, frappa le moteur à coups de
talon. Le comte monta en croupe et mit ses mains
aux épaules du cavalier. Deux ailes de bruits terribles s'ouvrirent de chaque côté d'eux. Ils tourbil-
lonnèrent tout de suite dans la pente, derrière leur
phare; mais la nuit tombait en même temps qu'eux
dans le trou.

Catherine rentra. Elle regardait ses pieds nus
passer dans l'herbe à la lueur de la lanterne. De
petits pieds jeunes.

4

Le Père s'éveilla avant l'aube. Quand la nuit se
retire, elle emporte le sommeil des vieillards.
Depuis quelques jours, il avait une mouche noire
devant les yeux; elle se posait sur tout ce qu'il
regardait. Il se dit : Qui sait si dans la nuit, elle
y sera toujours, cette mouche noire? Elle y était,
mais rouge, comme de feu et de sang. Il se frotta
les yeux, mais la tache resta, tremblante, au même
endroit.

Qu'avait dit le fils, hier soir? Moi, je m'étais
couché. Chon est monté plus tard avec la lanterne. J'ai dit : « Je ne dors pas. Qu'est-ce qu'il y
a? » Chon avait dit : « Écoutez, Père, ça ne va
encore pas, en bas, avec Catherine. Elle recommence avec ses histoires. Elle n'aime pas " La
Bérarde ". Sacré tonnerre, c'est pourtant ma
maison et de la terre à moi. Enfin, ne vous en
faites pas. Moi, je dois partir le premier jour. Je
descends avec le comte tout à l'heure. Dormez
maintenant. Ne vous en faites pas. Mais dites-
moi, Père, ce qu'il faudrait que vous fassiez : c'est
que vous, demain, vous atteliez Mignon et que vous
descendiez chercher la moto à la gare. Je la laisse-
rai au bistrot en face. »

Il se leva et descendit à la cuisine. Elle était
froide et sombre. L'odeur de source du matin
passait sous la porte. Il aurait voulu du café chaud.
Catherine savait qu'il partait, lui, un homme de

son âge et elle ne s'était pas levée. « Tu veux
rester couchée? dit-il, reste couchée; tu ne veux
pas parler? Ne parle pas. Tu es fâchée? Tu auras
deux peines : te fâcher et te défâcher. Je ne
ferai pas de café, moi non plus; je mets trop de
temps pour faire n'importe quoi, moi, maintenant. » Il fouilla dans le placard et il but un
petit verre de marc.

Il ouvrit la porte de l'écurie. Il faisait tout
péniblement. Ses mains se traînaient sur le bois
de la porte; ses pieds se trompaient dans la
litière juteuse. Le cheval éclata brusquement des
quatre sabots et sa queue siffla.

— Qu'est-ce que c'est? dit Père. Tu te crois rede-
venu jeune? Qu'est-ce que tu racontes, comme
ça, en sautant? Laisse-moi faire. Tu sais bien
qu'en fin de compte il faut qu'on me laisse faire.

Il posa la lanterne sur le coffre à avoine et en
même temps qu'il parlait il se baissa et mit sa
grosse barbe blanche dans la lumière.

— Regarde-moi, dit-il. Qu'est-ce qu'il y a de
changé? C'est moi. C'est toujours moi. Qu'est-ce
que tu croyais que c'était?

La bête tourna la tête vers lui; elle était étonnée
de la voix; elle la reniflait, elle avança le bout
de son museau agile comme un petit doigt; elle
mordit l'air où la voix passait et elle le mâcha
comme une herbe. Des frissons tremblaient dans
son poil et claquaient doucement comme un
clapotement de graisse bouillante.

Mais elle secoua la tête et elle secoua de la fumée
contre ses jambes.

— Et après? dit Père. On va faire simplement un
tour dans la campagne. Il n'y a pas de quoi
s'effrayer. Ce n'est pas la première fois que je

fais un tour dans la campagne. Et ça ne sera pas la dernière.

Alors, le cheval regarda Père avec les yeux perdus, il resta immobile comme de la pierre et il se laissa harnacher.

Dehors, c'est la nuit noire. Il n'y a pas encore d'est, mais les étoiles montent au fond du ciel et elles soulèvent la voile d'ombre. De partout, les alouettes se dressent raides et aigrelettes en pleine nuit; elles grincent là-haut comme les poulies dans les grands mâts. Le vent souffle. La terre craque. Les bêtes s'éveillent et regardent par-dessus bord.

Père attela la jardinière, ferma la porte de l'étable et tira l'attelage dans le sentier des aubépines. Il rentra chercher son manteau de berger. Il monta sur le siège, serra les freins, mit le cheval au pas dans la pente. Il avait oublié sa pipe. Non. Elle était là. Mais il préféra prendre une chique au fond de ses poches dans les débris de tabac. Il faisait vif et coupant. Un léger vent bordait le serpentement des montagnes. Un petit nuage tomba lentement dans l'est en s'allumant.

Le bruit des freins souleva les premiers échos de la gorge et les pas de Mignon firent sortir mille pas de chevaux de tous les trous de rochers. L'eau du ruisseau était noire et coulait épaisse comme du vieux miel. Les roues écrasèrent du grès qui grattait comme du verre. A mesure qu'il descendait le défilé, le ruisseau approfondissait son lit. De temps en temps, sans bruit à cause du bruit de la charrette, un paquet d'écume fleurie sautait par-dessus les rochers. De l'autre côté de l'eau la forêt se cramponnait dans des éboulements de terre noire. Elle sentait le champignon. Ça allait être le moment

des clavaires et des oreilles d'ours. On n'aimait pas
ça, par ici. Lui, aimait ça. Le facteur disait que
ça donnait la colique. Jamais de la vie. Il fallait
encore un peu serrer le frein. La route passait
sous une arche de pierre. Dans la poussière du
détour, il y avait les traces d'un virage brusque
qu'ils avaient dû faire avec la moto, hier soir. Le
rocher que suivait la route surplombait un peu
au-dessus. Il sentait le nid de faucon. Il y en avait
toujours eu cinq ou six dans cet endroit-là. Le
cheval pointa les oreilles. Ils devaient être déjà
par là, à voler. En voilà un. Père regarda en l'air.
Il vit la mouche noire là-haut, à côté du faucon.
C'était drôle qu'en levant les yeux cette mouche
grandissait et il avait un bourdonnement dans
les tempes. L'oiseau se balança, puis glissa derrière
la montagne. Il faisait bon dans le manteau. Juste
un peu froid aux genoux. Mais les oreilles bouil-
lantes et la nuque. Il la toucha. Il avait les
doigts glacés, il frissonna et, oh! il tira sur
les guides, la mouche noire avait tout d'un coup
rempli l'œil. Ça revenait : ça n'avait été qu'un coup,
et deux ou trois roulements de tambour dans les
oreilles. Il cracha sa chique; elle avait le goût du
fer. Il arriva aux chantiers de Perrimond. Des troncs
écorcés étaient allongés au bord de la route. Un pic
à bois était encore enfoncé dans l'un d'eux. La houe
à écorce, des harnais de corde traînaient par terre.
La porte de la cabane était ouverte. Un traîneau
tout chargé, à moitié engagé dans la route, obli-
gea le Père à conduire un peu le cheval. Il fallait
passer entre le timon et le bord du torrent. Mignon
tourna la tête et regarda si ses roues passaient
bien. Ça voulait dire qu'il n'avait pas confiance
dans la guide. « De quoi tu t'occupes », cria Père.

Il lui donna un coup de talon dans les fesses. « Ah!
ça, tu le comprends. Je vais te conduire, moi, dit-il,
attends un peu. » Sans la mouche noire, il n'aurait
pas pardonné cette façon de faire : les bêtes n'ont
qu'à s'occuper de leur travail de bête; les hommes
s'occuperont de leur travail d'homme. Il l'aurait
foutue au trot malgré le frein. « Je suis vieux, mais
pas mort. » Quelle drôle d'histoire que ce qui venait
de lui arriver. Il avait toujours ce goût de fer dans
la bouche.

Un homme sauta la route et se cacha dans les
taillis. Il avait été vif comme une bête. A l'allure,
à l'angle fin des moustaches très noires, on aurait
dit Giacomoni.

— Oh! Giacomo, qu'est-ce que tu fais dans cette
humidité, de si bonne heure? dit Père à tout
hasard.

L'autre mit un moment le nez au-dessus des
branches d'aulnes. C'était bien lui; il parla à quelqu'un de caché et il sortit.

— Qu'est-ce que tu veux faire n'importe où,
dit-il, maintenant que le ciel tombe?

— Où vois-tu que le ciel tombe, toi? dit Père, et
il arrêta le cheval. Si tu montes chez Perrimond,
dis-leur un peu qu'ils enlèvent ce traîneau; ils l'ont
laissé au beau milieu de la route.

— Basta le traîneau et Perrimond et tout le
reste; ils vont me casser la gueule. Oui. Voilà ce
qu'ils vont faire.

— Qui va te casser la gueule? Qu'est-ce que tu
racontes, toi aussi? Tu as encore eu des histoires
de femmes?

Giacomo fit signe de baisser la voix; il regarda
vers le buisson.

— Qu'est-ce que tu veux qu'elles fassent des

histoires de femmes, dit-il à voix basse; elles ne font pas des histoires. — Il lissa sa longue moustache soyeuse et noire comme de la plume de merle. — Je te dis : c'est la guerre, dit-il avec sa haute voix. Je te dis, le ciel tombe.

— Ah! c'est la guerre, dit Père, oui, eh bien quoi? Qu'est-ce que tu veux dire?

— Je veux dire que je suis un sale Italien.

— Qui t'a dit ça?

— Personne. Moi je me le dis. Je comprends avant qu'on parle. Je vois ça qui leur tourne dans les joues. Ça va leur sortir de la bouche comme une queue de renard. Qu'est-ce que vous voulez, je suis Italien; et pourtant, là-bas j'ai été dans la prison, pourquoi un jour j'avais le livre de Sléchetti dans ma poche. Je suis venu à la France pourquoi? Vous croyez que c'était pour faire le mal. Je travaille et je mange rien que le pain que je gagne. Si j'ai fait tort à quelqu'un, dites-moi qui c'est celui-là? Où c'est qu'il est? En France? Non. Pourquoi moi, je suis un républicain comme vous autres. Mais tout ça, basta, ils s'en foutent, ils vont dire que je suis un sale macaroni. Seulement, moi, si tu veux me tuer : tue-moi. Tiens, je m'ouvre la veste, je m'ouvre la chemise, je m'ouvre la peau. Tu veux que je me défende? Ah! non, je me défends pas. Tiens, je te fais voir l'endroit au contraire : c'est là dans le cou. Plante le couteau et enfonce. C'est pas difficile.

— Viens, Giacom', dit une belle et grave voix de femme dans le buisson; laisse-le et viens qu'il nous tue tous les deux à la même place.

— Mais, tonnerre de Dieu, dit Père, qui est-ce qui parle de vous tuer? Comment voulez-vous que je vous tue? Et qui c'est, celle-là, là-bas?

— Ah! Père, dit Giacomo dans un moulinement de bras raides, de mains écartées comme des fleurs, de l'œil qui regarde tendrement le ciel, la terre, puis Père; ah! Père, celle-là, là-bas, je vous demande la charité; s'il vous plaît voyez-vous, je vous en prie, pardonnez-moi, je me mets à genoux.

Il joignit les mains et pencha la tête.

— Eh parle, dit Père, sacrée saloperie de sort, parle!

— Celle-là, là-bas, voyez-vous, dit Giacomo, c'est une malheureuse. C'est l'Orlanda. Si, vous devez la connaître : c'est la femme d'Ottave; la femme du bourrelier. C'est une femme, Madona, je vous le dis : impeccable. Quand je suis venu travailler au chantier Perrimond, que j'ai cherché une chambre, on m'a dit : va chez le bourrelier. Et le bourrelier m'a dit : c'est ma femme qui s'en occupe. Une belle chambre. Je lui dis : combien? Elle me dit : tant. Je lui dis : ça semble que vous êtes Italienne? Elle me dit : oui, je suis Italienne. D'où êtes-vous? De Pignéta; et moi, de Crissolo. Et comment on vous dit? L'Orlanda. Et moi, Giacomoni. Elle me dit : Giacom' exactement comme ils disent à Pignéta et nous avons rigolé. Un point, c'est tout, je vous le jure sur la tête de ma mère. Je rentrais, je sortais, jusqu'au jour où elle m'a dit : Giacom', je suis mal mariée. Ah! alors, Madona Santa! Hier soir, quand elle a vu l'affiche et que c'était la guerre, cette nuit, elle est venue. Elle m'a dit : Giacom', garde-moi. Giacom', je vais pas rester maintenant avec ce vieux bourrelier. Giacom', c'est la guerre : l'Italie va se battre avec la France, Giacom', que tout va être détruit et démoli : Marseille, Paris, Bordeaux et tout, et nous, on va nous mettre dans la prison sans man-

ger. On va nous tuer, Giacom', garde-moi. Mais
j'y ai dit, ma belle, je suis Italien, moi, regarde
que justement j'étais là en train de mettre mes
frusques dans le sac. Oh! elle m'a dit, non, moi
je ne reste pas avec ce cochon de bourrelier. Maintenant, oui, il pourrait me faire tout ce qu'il veut;
non, non, Giacom', si tu m'emmènes pas, je me
tire un coup de tiers-point dans le ventre. Eh bien,
je lui ai dit : alors, viens, tant pis, c'est emmerdant, mais allez, partons. Seul, je me débrouille,
mais avec toi, ce n'est pas possible. Enfin, viens :
quand même, ton bourrelier, il est Français, lui,
si tu restais avec lui, tu ne risquerais rien, mais
enfin basta! Avanti Savoia. On est parti. On est
venu se cacher là, vous voyez, Père Genin, dans
le froid mouillé. Qué sale affaire. Il me vient les
larmes, voyez-vous. De rage, oui, de rage, parce
que, moi, je lèverais pas le plus petit doigt contre
la France.

— Ah! oui, dit Père, vous avez peur. Mais pourquoi avez-vous peur? Qu'est-ce qu'ils font, là-bas,
au village?

— Oh! rien, ils partent. Cette nuit, ils étaient
tous à marcher dans l'ombre. A tous moments on
entendait ouvrir des portes, et puis, fermer, et
puis, marcher. On a tout le temps entendu en bas
des trains qui sifflaient deux ou trois fois. Le
Camille est parti. L'André est parti, le Scipion, le
Kléber, le César, le fils Charles. Ils sont venus
chercher le Marius sous sa fenêtre, ils l'ont appelé.
Ç'a été toute la nuit le camp volant.

— Eh bien, qu'est-ce que tu vois contre toi, dans
tout ça? Attends que la destinée vienne te chercher.
N'y cours pas contre. O Giacomo, si c'est moi
qui dois te l'apprendre, alors, ça m'étonne. Qu'est-ce

que ça fait, un mot de plus ou de moins; et encore, le mot n'est pas dit! Écoute-moi. Pourquoi veux-tu tout changer du jour au lendemain? Voilà qu'une chose arrive et tu te mets tout de suite à la suivre? Hé! n'imagine pas ce qui n'est pas encore arrivé. Tu crois qu'elle a besoin qu'on bouge, pour nous attraper, la mort?

Giacomo appela Orlanda :

— Viens, ma belle, dit-il, Père nous parle de choses raisonnables.

La femme se dressa dans les souples branches d'aulnes et s'approcha. C'était une petite femme boulotte, avec de grosses hanches, de gros seins, une toute petite taille ondulante, la peau très blanche, les yeux très noirs, les cheveux très bruns et une grande bouche mouillée et un peu de très beau duvet charbonneux sur la lèvre.

— L'Ottave me reprendra pas, dit-elle, quand on lui eut expliqué que le plus simple c'était de rentrer et de faire comme s'il n'y avait pas de guerre.

— Mais si, dit Père, il te reprendra; dans les moments comme maintenant on fait n'importe quoi, vous voyez bien. Allez, montez tous les deux ici dessus.

Quand ils furent sur la charrette, il desserra complètement le frein et il commença à faire trotter Mignon. Il était rassuré en les sentant jeunes.

— Moi, dit-il, c'est curieux, depuis deux ou trois jours, j'ai une mouche noire devant les yeux. Elle est sur tout ce que je regarde. J'y pensais pendant que tu me parlais.

Au bas de la pente, la route se noue de si près au ruisseau que l'écume brunit la poussière comme de la pluie; puis, par un passage très étroit entre

deux hautes murailles de roches rouges la route
tombe tout d'un coup dans le découvert sous le
soleil du matin. C'est une très grande combe mais
il n'y a pas de vastes horizons : tout est borné
de chaque côté par des collines où de minces vergers d'oliviers transparents se haussent de murettes
en murettes jusqu'au sommet, vers parfois un
cyprès ou un énorme genévrier, puis les vergers
descendent de l'autre côté encore de la même façon,
de paliers en paliers jusqu'à des plis de combe où
l'ombre est comme de la suie grasse sous les saules.
On n'a jamais de grandes vues; tous les chemins
sont tout en détours. On va de creux en combes,
en contournant des mamelons; on traverse des
bosquets de platanes; la route tourne autour
d'immenses ormeaux sous lesquels on a installé
des parcs à moutons, dans des claies de branches
de chênes; on longe des allées de thuyas noires,
luisantes et crevées de trous comme les mystères;
on passe entre les bâtiments d'une ferme, on descend dans les vallons où dorment les prairies; toujours de chaque côté de la route se balancent les
collines qui font luire les oliviers soyeux; on va
de plis en plis dans des mûriers, des cerisiers, des
pêchers, des poiriers, des abricotiers, des pruniers,
des champs de blé, le crépitement noir des ceps
de vigne, une maison dorée, des champs de flouves,
les menthes bleues des ruisseaux d'arrosage, des
troupeaux de chèvres allongés le long des chemins,
un cheval blanc tout nu qui galope paisiblement
dans les herbes, un large visage de maison à hautes
fenêtres quadrillées de petits carreaux et qui rêve
avec des reflets de feuillages dans ses vitres; et de
loin en loin, un petit village tout blanc, couronné
de génoises, de remparts, de créneaux et de vieilles

tours de combat est collé sur le tranchant de
quelque pente comme un nid de guêpes. Au-dessus
de tout, dans le sud, une barre de montagnes bron-
zées et tordues arrête le ciel. De contours en
courbes, de vallons en collines, peu à peu, le pays
vient : un arbre après l'autre, un champ après
l'autre et d'habitude, un homme après l'autre.

Ce matin, c'était le désert et le silence.

Les éteules vides éblouissaient comme de la
neige au soleil. Le tal de la paille était tellement
sec qu'il miroitait de tous les côtés. La lumière
n'était plus beurrée là-dessus comme elle l'est au
gros de la chaleur, mais elle s'y roulait en globes
et en serpentements, comme faite d'énormes bulles
de savon, enroulées, collées, mélangées, éclatant
silencieusement en poussières luisantes. C'était
la lumière de septembre; l'incertaine, l'humaine,
qui porte en elle-même sa mort; l'amoureuse de
tout ce qu'elle touche; celle qui attache un gluant
mordoré à tous les mouvements du monde : la
branche, la mouche, la main, la guêpe, l'oiseau,
l'herbe, les jambes, les bras, le souffle exténué
des derniers vents chauds, et tout est ainsi suivi
d'un sillage d'huile à mesure que la vie bouge
dans la lumière de septembre.

C'est bon de vivre.

Certes, sur les éteules, le travail était terminé
depuis plus d'un mois. Il n'était pas étonnant de
n'y voir personne. Mais d'habitude, en cette saison, on y lâche les mulets. Ils viennent s'y râper
les dents contre les chardons, pendant qu'à côté
on ramasse la récolte de poires dans les grands
vergers éreintés appuyés de partout sur des écha-
las. A l'ombre fraîche des poiriers, on a mené toutes
les femmes et tous les enfants. Les grands portent

les paniers aux charrettes; les jeunes assis à cul
nu dans la terre rouge font de petits jardins en
talutant des fleurs coupées. On chante et les filles
rient plus fort qu'on rit vraiment et ça s'entend
de loin, venant de dessous l'ombre retentissante
des vergers. Il y a aussi celles qui vont, par trois
ou quatre, vers les fontaines sous les bosquets de
platanes. Elles traversent les prés en suivant les
ruisseaux d'arrosage; on les voit, elles enjambent
les touffes de menthes bleues, elles relèvent leurs
grosses jambes nues. Elles sont en groupes, avec
des cheveux dénoués que le vent fait flotter autour
d'elles comme la crinière blonde et noire d'une
monstrueuse cavale qui marche l'amble en jambes
blanches dans les menthes. Dès le matin. Et les
mulets sont lâchés dans les éteules où l'air chaud
colle à la peau comme de l'huile et depuis le plus
petit mouvement des oreilles ou le secouement de
la tête en arrachant le chardon jusqu'aux gam-
bades quand les garçons courent après les bêtes,
tous les mouvements des mulets noirs tracent dans
la lumière des sillages joyeux comme si la vie bougeait dans du miel éblouissant.

Ce matin, rien. Sur les champs de blé coupés,
la lumière était seulement ronde comme une grosse
boule pailletée.

« Ça va, se dit Père. Après le détour on ne man-
quera pas de voir Charles. Il doit être devant sa
porte, sous la treille. »

Le détour tourne autour d'une petite maison de
pierre. Il dure longtemps parce qu'il faut qu'il
passe au large de l'aire, du poulailler et d'une
ligne de pêchers, puis, sous la treille, on voit la
porte. Elle était fermée. Il n'y avait même plus
la table sur laquelle Charles mangeait dehors.

« Ça va, se dit Père. C'est vrai, Charles a dû partir. Et à qui a-t-il confié ses poules? A moins que ce soit aux Jarlands. »

Il se frotta les yeux.

— Attends, dit Giacomo et il sauta de la voiture.

Une martellière plantée en travers de la canalisation d'arrosage avait fait entrer tant d'eau dans une luzernière que la terre commençait à charrier l'herbe.

Il enleva la martellière.

— Allez, passe, ma belle, dit-il à l'eau, ils t'ont oubliée.

— Et ça aussi, dit Père, ils l'ont oublié : c'était un panier de poires.

— Et ça aussi, dit Giacomo : c'était un blouson de femme passé dans le croisillon d'une branche de verne.

Giacomo prit une poire dans le panier et la donna à Orlanda.

— Et ça, là-bas, qu'est-ce que c'est? » dit Père.

Il se frotta les yeux : sur une pierre plate, c'était un couteau ouvert, et une liasse de raphia.

— Et là, dit-il, est-ce que ce n'est pas un œuf?

Il se frotta les yeux.

— C'est un œuf, dit Giacomo. Ils l'avaient mis dans une feuille de vigne pour ne pas l'oublier.

— Eh bien, tu vois, dit Père, je l'ai quand même vu, cet œuf. On dirait que ma mouche se tient un peu sur le côté, maintenant. Peut-être qu'à la fin, elle se décidera à partir.

— Ils avaient bien l'intention d'y penser, à cet œuf, dit Giacomo, ils l'avaient même mis en attendant sur un coussin d'herbe. Et à côté, ils ont laissé un chapeau. Ils ont tout oublié!

— Ils n'ont pas oublié de partir, dit Père.

— En tout cas, dit Giacomo, c'était pas faute de
le leur dire. Ils sont allés en auto de tous les
côtés avec des vieux et des gosses. Il y en a même une
qui a été menée par Mlle Alice. Je faisais mon bal-
luchon quand elle a sorti l'auto du docteur. Je me
suis dit : qui est-ce qui mène, puisque lui, il est parti
hier? C'était la demoiselle habillée en homme
avec des culottes.

L'Orlanda se pencha sur la ridelle et cracha sur
la route.

— Qu'est-ce qu'il y a à ta poire?

— Il n'y a rien à ma poire.

La route passa sur un petit bief d'arrosage. La
dalle gronda sous les roues.

Des moutons abandonnés galopaient sous les
saules le long du ruisseau. Une voix de femme, lente,
solitaire, appela, appela, puis se tut. Il faisait
chaud, un tourbillon de vent tordit, puis étira un
peu de poussière droit sur la route.

— Cette nuit, dit Giacomo...

— Qu'il n'y ait jamais eu cette nuit! dit l'Orlanda.

— Il y a eu cette nuit, dit Giacomo, des pas dans
tous les chemins. On a pris la route. Ils sont
venus trois en face de nous, sur la route et un s'est
arrêté et a allumé son briquet puis il a rattrapé
les autres. Il a passé près de nous. On a pris à travers champs vers le ruisseau. On a longé l'eau et
deux autres descendaient de la Mirane. On s'est
caché dans les osiers. L'Orlanda a enfoncé sa
jambe dans un trou d'eau et a crié. Je lui ai dit :
tais-toi, c'est de l'eau. Un a dit : qui a crié? L'autre
a dit : personne; maintenant, tu entends des cris
partout, viens. Une lanterne a couru sous les platanes. Une voix l'appelait : éteins, éteins. La lanterne a répondu : non, il faut que je les rat-

trape. Cache-la sous ton tablier, et tout s'est
éteint. — C'est froid, a dit l'Orlanda, et les osiers
m'écorchent. — Tais-toi, j'ai dit, reste baissée, ne
bouge pas. Ils ont passé dans le chemin d'herbe. Je
me suis relevé. On ne les entendait plus marcher
dans l'herbe. Un s'était arrêté et il était tourné de
notre côté. Mais, à la fin, il est parti. On en a rencontré un autre qui chantait. Il a dit : — Qui est
là? J'ai dit : moi. Qui, toi? J'ai dit : Perrimond.
J'ai pas voulu dire que c'était moi; Giacomo. Il a
dit, coupe des arbres, André, coupe des arbres,
rase la terre, fais du feu, fais brûler du feu. Tu
restes ici, toi? J'ai dit : encore quelques jours,
est-ce qu'on sait? Il s'est mis à rigoler. — Le fait
est, a-t-il dit, qu'on ne sait plus rien. Au revoir. Il
en est parti de l'Andrane. Je les ai entendus. Il en
est parti des Vigneaux. Je les ai entendus. Il en est
venu de la Commanderie, il en est venu de Ragusse, il
en est venu de Pradelles. J'ai tout entendu.
C'était peut-être deux heures du matin. L'Orlanda
était folle par terre de pleurer, dormir. Je les entendais de loin descendre les collines, puis marcher
sur la route.

— Eh bien, dit Père, au bout d'un moment, tu
vois ma mouche est revenue en plein dans mon œil.
Là, droit sur les oreilles du cheval, maintenant.

Père appelait ça une mouche. Mais non, une
mouche, c'est mou et ça aurait volé dans l'œil;
ça, c'était immobile et dur comme une graine
d'erre et même acide, comme une moulure de
poivre; ça décomposait même un peu l'œil autour
de l'endroit où c'était; l'œil était là un peu
gluant comme de l'eau très sucrée. Donc, il n'y avait
pas seulement ce point noir, cette mouche, puisque
c'est plus facile de l'appeler mouche, mais encore

toute cette partie de l'œil un peu visqueuse et
chaque fois que la forme de quelque chose entrait
dans cet endroit, quoi que ce soit, ça se mettait
à trembler comme une flamme, à s'élancer en
tremblant comme une flamme, puis la mouche
arrivait et ça disparaissait alors en charbon. Ça
se faisait vite, bien entendu, à mesure que Père
tournait son regard sur les choses autour de lui;
ça tranchait ainsi dans les arbres, les champs, les
collines, les nuages, ça les tranchait de leur immobilité; ça les faisait devenir flamme verte, noire,
blanche ou bleue et disparaître en charbon. Ça
faisait penser Père à une faux qui aurait passé sur
les choses, il y avait le tremblement de la chose
quand elle reçoit le coup de lame; et puis, enfin
on pouvait imaginer une faux qui tranche et fasse
disparaître. Oui, ça peut s'imaginer. Certes, ça
n'est pas difficile : qui fauche le monde? Qui
fauche et rien ne résiste? Qui fauche tout et
fait tout disparaître? D'autant plus que ça faisait
disparaître, mais tout repoussait après que cette
faux avait passé; le monde restait toujours aussi
dru. Non, c'était seulement un moment de la chose;
un moment où les choses avaient l'air de se
décomposer comme cet endroit très sucré de l'œil
où elles arrivaient dans une sorte de sirop. Après
quand la mouche avait passé, elles se recompo-
saient; forcément, Père pensait bien que les
arbres étaient toujours les arbres, et les champs,
les champs; et les collines, qui va détruire les
collines? Mais, au moment où son œil les regardait,
elles se détruisaient; dans un clin d'œil il les
voyait se détruire : c'est à ce moment-là qu'il se frottait les yeux. A certains moments, à force de passer
et de repasser à travers les choses avec cette faux

noire et sucrée, la mouche tout d'un coup grandissait comme un monstre, l'œil s'affolait; il voulait
voir quand même; il voulait s'agrandir plus grand
que cet empêchement noir; mais il sentait qu'il
aurait fallu alors s'agrandir plus grand que la
tête. C'était un moment où un vertige allait
gagner; il semblait que Père était fauché lui-
même; et tout d'un coup, cela redevenait à peine
comme une mouche. Là, Père se frottait encore les
yeux beaucoup plus fort, et en appuyant. Mais
dès qu'il enlevait les mains de ses yeux, le
regard se dérouillait, pendant un clin d'œil, le
monde était là devant, clair, lumineux, ordinaire,
puis la mouche entrait d'un seul coup toute
noire.

La verdure seule apaisait. On dit bien qu'après la
mort, les morts habitent un pays où, à perte de vue,
il n'y a que des prairies et des bosquets et souvent
aussi, quand elle fait tout disparaître, la nuit est
verte. Quand Père regardait de la verdure, la
mouche se confondait avec des trous d'ombre; ou
bien, quelquefois, quand il parcourait du regard
le feuillage des arbres, par exemple, ces énormes
jaillissements verts des platanes de haute futaie,
il voyait la mouche passer dans l'échancrure de
ciel entre deux rameaux et il pouvait croire que
c'était une vraie mouche ou un immense oiseau très
loin au-delà. Pendant qu'il regardait les arbres, il
finissait même par s'imaginer qu'il avait le regard
libre. Il baignait son œil dans les feuillages et
les prés. Et sa tête était dans un grand contentement quand ces verdures entraient en lui sans se
déchirer à la barbelure noire : c'était bon comme
le sommeil, mais beaucoup plus grand que le sommeil; une douceur, mais tellement sucrée que le

mouvement du sang s'y perdait comme dans du
sable; un contentement comme si, cette fois, tout,
absolument tout, allait se contenter. Il fallait se
méfier de ça, et bougrement, même. Les guides
étaient chaque fois sur le point de lui en tomber
des mains. Il était attaqué par de la paix avec une
violence telle qu'elle était chaque fois sur le point
de triompher totalement de lui. Alors, il regardait
une éteule, un champ clair, le blanc de la route,
ou le ciel ou le dessus doré de quelque fourrage déjà
mûr et tout de suite le point noir déchirait la lumière
comme une pointe de clou dans de la soie; il s'y
accrochait non seulement par son pointu, mais il en
arrachait des fils luisants avec toutes ses barbelures.
Aussi loin que Père pouvait voir, il n'y avait rien
que de la lumière sur les champs déserts et les roues
extraordinaires du soleil reflété par la terre; mais à
mesure que Père tournait la tête pour regarder
de tous les côtés, le point noir arrachait ainsi des
ruisseaux de feu aux miroitements de la lumière;
et des enroulements d'arc-en-ciel graisseux creu-
saient dans l'air, devant lui, l'entonnoir d'une
sorte de gouffre. Il se frottait les yeux. C'était
fascinant comme l'appétit d'un serpent. Cela appelait et le corps quittait tout pour répondre. Brusquement, le corps avait beau dire et beau faire
— Père était là en train de grogner en lui-même à
voix basse et il essayait de remuer comme s'il avait
la danse de Saint-Guy; et Giacomo, et Orlanda
le regardaient, puis se regardaient — beau dire et
beau faire, le corps était obligé d'avouer tout d'un
coup que le plus important pour lui, c'était de tout
lâcher et de se laisser tomber dans cet abîme de
lumière.

« Comment se fait-il qu'elle appelle comme ça,

se dit Père. Est-ce que c'est juste aujourd'hui que
je suis assez vieux pour faire un mort? ou bien, c'est
ce désert (il n'y a personne ni d'un côté ni de
l'autre), ou bien, c'est que je vois le destin de ces
pauvres diables qui sont partis; ou alors, c'est
qu'elle se promène avec moi dans le pays. »

Sur tout le pays, l'ombre des arbres se retire à
mesure que le soleil monte. L'ombre des arbres se
retire contre le tronc, s'épaissit sous les feuilles
et devient bleue. Elle est devenue bleue comme
l'eau qui dort dans un trou très profond. Dans le
plus profond des bosquets de platanes, des fontaines
halètent à grands coups de langues blanches. Et
le blanc des bassins clapote et éclaire de grosses
touffes de menthes, des joncs noirs, et le tapis
frisé d'un épais cresson humide. Une humidité
fraîche comme le balancement des feuillages, mais
l'ombre tranchée comme une facette de cristal
s'appuie toute bleue contre la lumière. La lumière
tranche au ras des arbres. D'arbre en bosquet, et
d'arbre en arbre, elle tient tout le pays; elle
est dans une grande furie immobile; elle tremble
comme l'eau qui va bouillir; elle est pleine de bulles;
elle bout à l'intérieur d'elle-même en petites
grappes de bulles d'or.

Tout est désert.

Là-bas devant, sur le bord de la route, un porche
de ferme s'ouvrit. Seul, sous la voûte, un paon apparut, en pleine roue; il traversa le chemin et,
comme une gerbe d'eau et de soleil, il sauta sur
la branche d'un orme.

Comme le cheval trottait dans les échos des
murs, une femme sortit des étables et appela.

— Bonjour, Rose, dit Père.

Elle avait les cheveux, les plis du visage, les

épaules ruisselants de fatigue. Elle essuyait lentement ses mains dans son tablier.

— Vous allez au village? dit-elle.

— J'y vais, oui, dit Père.

— Vous ne voudriez pas voir si le maréchal peut
venir ici tout de suite?

— Tu as des ennuis?

— Le poulain est malade.

— Beaucoup?

— Oui.

— Tu veux que je le voie?

— Venez, si vous voulez.

— Garde-moi les guides, dit Père à Giacomo.

— Tu es seule? dit Père.

— Oui.

— Ton mari est parti cette nuit?

— Il est parti vendredi dernier.

— Mais tu as encore ton aîné avec toi?

— L'aîné est soldat depuis mai.

— Il a déjà l'âge?

— Malheureusement oui.

— Le temps passe, dit Père.

La porte de l'étable était, en plein soleil, large
ouverte sur de la poix. De l'ombre venait un ronflement comme celui d'un gros faucon qui mange
de la viande. A part ça, pour toutes les bêtes de
l'étable, le silence, et pas un piétinement.

Père entra. Il sembla qu'il était le vent d'un
orage. Les yeux des moutons s'allumèrent; leur
lumière se mit à flotter comme si elle se balançait
sur de l'eau battue, puis les bêtes galopèrent dans
leur claie. Le vieux cheval tira sur la chaîne, fit
sonner ses fers contre les planches et dansa. Le
bouc se dressa sur ses pattes de derrière. Les
pigeons s'envolèrent par la trappe du grenier.

— Ces bêtes ont peur de moi, dit Père. Je ne sais pas ce que j'ai, mais aujourd'hui, elles me craignent.

Le poulain était couché sur sa litière. Il ronflait dans l'écume de ses naseaux. Il avait déjà le grand rire vert des chevaux morts.

— Méningite, dit Père.

Il se pencha et toucha le front du petit cheval. La bête se raidit aussitôt comme si cette main la remplissait tout d'un coup d'une matière énorme.

— Il vient de mourir, dit Père. Il est mort quand je l'ai touché.

— Quoi faire? dit-il en sortant.

Il mit sa main à l'épaule de Rose.

— Moi, dit-il, depuis quelques jours, j'ai une mouche noire devant les yeux.

La lumière continuait à jouer toute seule. Elle coulait tout le long de la route déserte, comme l'eau d'un fleuve perdu. Tous les replis qu'elle faisait dans la poussière et à chaque fois qu'elle détournait son ventre irisé ou quand elle gonflait son dos d'écume, ou bien le glissement d'une sorte d'azur blanc dans l'embrun que le vent soulevait de la terre, chaque fois que la lumière bougeait sur la route, elle faisait penser à l'eau d'un fleuve perdu qui est libre dans d'infinies solitudes. Elle avait d'autres formes aussi suivant qu'elle était sur le vert d'un champ de trèfle, sur du sainfoin fleuri, sur les coquelicots, ou sur les vignes. Elle avait des foules de formes : il suffisait d'un petit coteau d'oliviers pour qu'elle soit comme un filet de pêcheurs; et les talus couverts de centaurées et de bourraches l'apaisaient dans la forme bleue d'un sommeil de serpent, mais en réalité, sa vraie forme c'était ronde, et partout elle était presque ronde quand

elle se faisait comme l'eau, comme le filet noyé
ou le serpent qui s'endort. Mais sur les grands
champs blancs où l'on avait raclé le blé, elle
était toute ronde. Parfaitement; et la perfection
éblouissait. Il n'y avait peut-être pas d'éclat,
c'était plutôt gris qu'éclatant; mais la perfection
du globe gris éblouissait. L'œil perdait ses raisons. Sauf l'œil du Père parce qu'il avait un
déchirant point noir. Mais la lumière ronde était
plus solitaire que le fleuve imaginé de la route. La
route allait quelque part; tout au moins on la
voyait s'en aller pendant quelque temps à travers
ses globes gris; on la voyait passer dans des reflète-
ments. Mais sur les grands champs blancs, la
lumière prenait librement sa vraie forme; dans
la plus grande liberté du monde, alors elle faisait voir ce qu'elle est : c'était la parfaite solitude, l'arrivée de tous les départs, l'enroulement
de tous les chemins, la fin de tout.

Elle n'éclairait même presque pas, et si quelqu'un
avait voulu se cacher dans ce grand pays désert, le
mieux qu'il aurait eu à faire, c'était de se mettre
au centre même de cette solitude, là où elle était la
plus pure, là où pour regarder on était à tout
moment obligé de cligner de l'œil, de détourner la
tête, où l'on ne voyait rien d'ensemble, mais seulement quelques tiges de blé coupées dont la paille
pleine de miroitements semblait noire comme du
charbon, ou le vol brusque d'une sauterelle noire
aussi et l'enroulement des grandes roues blanches
de la lumière; à mesure qu'elles entraient dans l'œil
elles rougissaient, puis noircissaient et s'éteignaient
dans l'eau de l'œil fermé en éteignant le monde.
Oh là, au centre même, on aurait été bien caché, et
Giacomo regardait là-dedans, précisément pour

voir s'il n'y verrait pas à la fin un homme ou quelqu'un. La solitude le désespérait. Non, personne
n'était caché; tout le monde était parti. Il regardait
Orlanda. D'abord ébloui il ne la voyait pas, puis
les balancements de la charrette la faisaient voir.
Elle était entre lui et Père, mais elle avait carrément
mis ses épaules en travers et elle tournait le dos tant
qu'elle pouvait à Père. Quand il la voyait bien, elle
avait tout le visage amer comme si son fiel lui avait
éclaté dans la bouche, et certainement, elle avait
peur. Père, tassé dans ses épaules, les coudes
appuyés sur les cuisses, pelotait lentement ses
mains dans les guides. La charrette allait au pas.

La lumière toucha un cyprès qui était resté dans
l'ombre de la colline. Depuis que le soleil avait
dépassé dix heures et montait vers midi, il n'y avait
plus de vent et de très loin dans l'air calme, on
entendait claquer les montagnes. L'arbre était
immobile dans l'ombre. Quand la lumière le toucha,
il se mit à flamber comme flamme. Le mouvement
ne venait pas de lui-même, c'était le ruissellement
d'une transparence qui descendait de rameaux
en rameaux et il y eut quelque chose de plus déses-
pérant que la solitude : ce fut le cyprès devenu
presque sans corps et sans matière, immobile sur
son âme de goudron qui se tordait comme une
flamme, en silence. Les champs étaient abrités dans
des barrières de cyprès; elles venaient frapper
de la pointe contre la route; ou bien elles se frottaient contre elle. La lumière fila tout le long des
rangées d'arbres : elle s'écrasait un peu dans les
champs plats. La terre blanchissait. Il ne resta
plus qu'un petit trait noir au fond des sillons frais,
puis là aussi elle coula un fil de faïence laiteuse.
Elle foulait les grandes jachères couvertes de

bleuets; elle en faisait de la chaux à peine bleutée.
Elle s'attachait au poil des fleurs et elle y pétillait,
elle fumait sur les couleurs comme un esprit de
sel et le vernis gras du trèfle devenait aussi vapo-
reux et aussi blond que la belle mare des avoines.
Elle cherchait les écorces lisses, les épines, les
pailles, le tranchant des pierres vives et, tout d'un
coup, elle les alluma partout de jets dorés, de jaillissements de fontaines sèches, de rayons raides,
d'un brûlement de soie, et les étincelles firent
disparaître la terre dans les larges avenues entre
les cyprès noirs. Alors la lumière s'écrasa lentement dans les trembles. Ce sont de très beaux
arbres, vieux et larges, avec des troncs de neige,
des embranchements d'albâtre et, à travers les
rameaux, une énorme charpente d'os poudreux.
Ils sont isolés dans les champs, loin des bosquets
et c'est d'abord sur eux que, tous les matins, l'aube
commence à être rouge. Ils balancent des palmes
jusqu'au ras des herbes. A quelques mètres, autour
de l'arbre, la lumière se mit à serpenter lentement,
à se lover, à se nouer, se dénouer très lentement,
écaille par écaille; elle se recourbait avec sa tête
grise comme si elle voulait venir mordre les pétil-
lements de sa queue, mais lentement elle entassait
ses anneaux les uns sur les autres et elle monta
jusqu'à toucher le ciel de plâtre, le racla en y faisant fumer une aveuglante poussière, ouvrit sa
grande gueule rose et lentement descendit sur
l'arbre. On voyait toutes ses écailles jouer autour
de brillantes charnières et le gonflement de son
large ventre de verre pendant qu'elle coulait lentement son long corps gras dans les pentes tombant
sur l'arbre. Le feuillage des trembles s'était mis
à bouillir; enfin il y eut comme un épanouissement

d'écume quand la lumière entra dans lui, s'y roulant alors dans quelques petits fouettements rapides qui firent jaillir un peu de couleur verte, puis tout s'éclaira au cœur même de l'ombre : le tronc des branches, l'envers duveté des feuilles et les trembles étaient maintenant sur la terre blanche comme des cendres miroitantes. Sur tout le pourtour du pays couraient les collines éteintes couvertes d'oliviers. Depuis longtemps, la lumière avait pris ces vergers. Ils étaient dans sa gueule. Elle avait mâché et remâché les feuilles dures. Sa salive luisait là-dessous, dans des graminées sèches et des mottes de terre plus étincelantes que la neige. Sur cette blancheur, les oliviers n'avaient plus de matière. Ils étaient des bouffées de vapeur, rose comme la fleur sèche du sainfoin. Et c'était la seule couleur sur toute l'étendue du pays. La lumière avait usé toutes les autres. Il ne restait plus qu'un blanc de craie écrasé partout. Les cyprès même se fondaient sous l'aplomb de la lumière. Les étincelles qui jaillissaient du vernis de leurs rameaux plats les enveloppaient d'un blanc de miroir. Les prés fatigués dormaient, poudreux comme des troupeaux de moutons. A peine si, de temps en temps, le ressac du soleil creusait quelques petits tourbillons d'ombre contre les murs d'une ferme. Le temps d'un éclair, elle apparaissait alors avec sa génoise tuyautée et son crépi couleur de croûte de pain; mais tout de suite après, elle se renfonçait dans les profondeurs de la lumière, on la voyait peu à peu s'effacer et tout était de nouveau recouvert de lait aveuglant.

Il y avait un homme assis au bord de la route. Ils l'avaient vu tous les trois tout de suite. Père avait relevé la tête, Orlanda tourné ses épaules,

Giacomo avait crié et pointé le doigt en avant.
Car celui-là avait gardé toute sa couleur : il était
noir.

— Je vous reconnais, dit Père en passant près de
lui. Vous êtes monsieur Roche. Et que faites-vous
là, avec votre bicyclette?

— Qui êtes-vous? dit l'autre en se dressant. C'est
vous, père Genin? Je ne vous reconnaissais pas. Où
allez-vous comme ça?

— Vous voyez, je me promène dans le pays. Et
vous?

— Je vais à la Clémentine, par là-bas derrière.
Mais je suis fatigué, vous savez.

— Allons, dit Père. A chacun ses affaires ici-bas.
Au revoir; allons-y.

La solitude était maintenant insupportable. On
avait vu ce qui manquait. Tout de suite après
l'homme, la route tourna et descendit. On ne
voyait même plus le cheval. Depuis qu'il marchait
dans la poussière, il avait blanchi. Mais surtout
les ondulations de lumière submergeaient sa tête
basse et le balancement de son encolure à la crinière pendante. Les boucles et les artillons de son
harnais le cachaient sous les étincellements mou-
vants. Le bois usé des ridelles luisait et les plats-
bords de la charrette, couverts d'écume brillante,
roulaient lentement de droite à gauche et embarquaient le blanc des champs. Il n'y avait que le pas
du cheval; les gros fers claquaient tous les quatre
l'un après l'autre. De temps en temps, un morceau
de la bête émergeait de la lumière mais tout de
suite après elle s'engloutissait dans les étincelles.
Le pas était régulier comme le battement d'une horloge. Le ciel et la terre étaient comme de la farine.
De temps en temps, le cheval qui tirait là-dedans,

semblait s'endormir et retenait un peu son pas.
Alors Père lui faisait claquer les guides sur le dos
et il repartait. A chaque penchement des ridelles,
la blancheur extraordinaire des champs entrait
dans la charrette. Parfois seulement il y avait un
peu de rose quand on passait devant un verger d'oliviers, il coulait sur le plancher de la charrette, sur
les trois paires de pieds immobiles puis, à l'autre
pas du cheval, le reflet rose courait dehors par
l'autre bord et s'effaçait dans la lumière. Puis,
c'était de nouveau le large et des embruns cristallins
qui couvraient tout de sel. On ne pouvait rien apercevoir. La lumière était plus fermée que la brume.
Il n'y avait plus ni droite ni gauche, et par moment,
il semblait que l'embarcation était déroutée par des
remous. Des dérives emportaient par le flanc une
pluie de farine et de poussière de fer. On entendait
souffler l'embrasement des grands ormeaux; on
voyait à travers de mystérieuses épaisseurs l'ombre
blanche et transparente des grands sycomores.
Puis la croupe du cheval émergeait et même quand
elle avait de nouveau sombré dans l'étincellement
des harnais, il semblait que l'erre recommençait
à faire lentement de la route à travers la solitude
sans forme ni couleur.

— C'est vous qui chantez? dit Orlanda, et elle se
tourna vers Père.

— Oui, dit-il, vous l'entendez? C'est pourtant en
moi que je fais ça. Ah! il se peut que de temps en
temps, en effet, j'en laisse échapper.

— Oui, oui, dit-il, c'est moi qui bourdonne.

On entendait très bien ce chant noir. C'était un
grondement monotone qui coulait sans arrêt dans
des notes basses, de temps en temps cela se relevait
comme un petit cri.

Maintenant des couleurs qui n'existaient pas venaient se frotter contre la charrette. On les voyait venir de loin : elles sortaient du blanc aveuglant; elles n'étaient pas autre chose que le continu de ce blanc. Il y avait des moires brunes toutes filetées d'or, comme des étirements de poix chaude. Giacomo était assis raide comme un piquet, il se laissait porter sans plier. Il clignait tellement des yeux que tous les plis de son visage sur la joue, sur les tempes et sur le front étaient serrés comme des poils. Il y avait du bleu aussi violent que le bleu des carrossiers. Il longeait le bord des brancards, il ruisselait autour des rapides apparitions du cheval sans forme; il tournait comme la couleur d'un gouffre à l'endroit où la bête se renfonçait sous les étincelles; il coulait le long des ridelles, il devait s'entortiller là-bas derrière dans la poussière du sillage. Mais Giacomo n'osait pas regarder derrière; il ne perdait pas de l'œil les mains de Père. Elles étaient entortillées dans les guides et elles pelotaient là-dedans comme si elles s'occupaient d'une grosse pelote de fil. Non seulement elles n'étaient pas blanches, mais elles étaient en or; non seulement elles étaient en or, mais elles étaient en armure d'or avec des écailles qui jouaient silencieusement les unes dans les autres, comme la peau d'une patte de poule. Il continuait à bourdonner de plus belle et même à certains moments il s'exaltait comme si Père chantait de toutes ses forces à voix basse dans une sorte de triomphe plus grand que l'espace du ciel et de la terre confondus. Il y avait une couleur rouge, et celle-là naissait bien en effet du blanc. Là où il était le plus pur, dès que l'œil le touchait, le cœur du

blanc devenait rouge avec une violence extraordinaire; et il prenait d'abord la forme d'une étoile
drue, puis sans rien perdre de sa force de couleurs, il allongeait de longues pattes molles comme
une de ces fleurs-poissons qui flottent dans la
profondeur des mers. Plus raide que Giacomo,
Orlanda, la tête haute; mais elle avait couvert
ses yeux de ses deux mains; entre ses paumes, son
nez s'était appointé et pincé et le duvet charbonneux tremblait sur la lèvre parce qu'elle devait
être en train de se réciter quelque chose.

Et brusquement, l'épaisse brume de lumière s'ouvrit : la route allait s'engager dans une rue
noire. Les façades aveugles de deux maisons de
cendre marquaient l'entrée. Au moment où l'on
s'en approcha des suintements de soufre clair
coulaient sur le crépi des murs; quand ces lueurs
touchèrent la terre, elles rejaillirent lourdement
et le cheval apparut en entier comme il entrait
dans l'ombre de la rue. Son pas claqua plus fort
entre les murs. On commença à entendre le grincement des roues dans les essieux. Sur la pierre d'un
seuil, une vieille femme était assise; à la hauteur
de sa tête penchée elle appuyait ses mains sur le
crochet d'une canne. Toutes les portes étaient fermées, mais, un peu plus loin, un chien roux couché
en travers de la rue se leva en entendant les pas
du cheval, il vint frotter la poussière de son dos
contre le redan noir d'un porche d'étable.

« Hameau de Saint-Christophe », se dit Giacomo. Il toucha le bras d'Orlanda.

— Viens, dit-il, on descend ici. On ne reste pas.
Arrête la charrette, dit-il.

— Il y a encore trois kilomètres, dit Père. Venez
encore avec moi.

— Non, dit Giacomo. Arrêtez.

— Oh! dit Père, je ne vais pas vous garder par force.

Et il parla au cheval.

— Comprenez, dit Giacomo. On voudrait arriver tout doucement. Dans notre situation...

— Oui, dit Père tout doucement, vous avez raison. C'est comme ça qu'il faut faire. C'est comme ça que je fais, dit-il en souriant. Au revoir, les enfants.

Et il se remit en route.

Ils restèrent tous les deux dans l'ombre d'une maison à la sortie du hameau. La charrette descendait, toujours au pas dans la pente. Ils voyaient maintenant Père tout noir; tout seul, qui s'en allait.

— Qui est-ce? demanda Orlanda.

— Un vieux qui reste là-haut dans la montagne au-delà du sentier.

— Je voudrais savoir pourquoi... dit-elle.

Elle était appuyée contre le mur. Elle regardait en bas dans la plaine : les arbres, les bosquets, les fontaines, les champs, les vergers. Toute l'ordonnance des formes et des couleurs était à sa place sur la terre, comme d'habitude.

Pourtant, il y avait toujours une grosse lumière; l'attelage venait même de s'y perdre comme une goutte d'eau dans du sable.

5

Du hameau de Saint-Christophe au village de Saint-Martin, il y a trois kilomètres. Du village à la gare, il y a encore six kilomètres. Il faut en

faire environ cinq à la descente à travers les terres
cultivées, puis on tombe dans un vallon très étroit.
La route y descend dans un bois d'énormes tilleuls.
La voie ferrée passe en bas, au fond à côté du
ruisseau. A part le moment où l'on voit le train
arriver à travers les saules, puis s'en aller par le
pont de fer, il n'y a d'habitude là-dedans que le
bruit de l'eau et le chant des mésanges. Quelquefois, l'homme d'équipe appelle le chef de gare qui
pêche la truite sous le pont. Il y a là-dessous un
fameux trou. Des fois, c'est même le chef de gare
qui remonte se chauffer les jambes sur le talus et
qui, de là, appelle Trogne. Trogne, de l'autre
côté du terre-plein de la gare, a une maison de bois
où il a fait écrire : CAFÉ. C'est pour lui demander
son avis sur le jour : est-ce que c'est un jour à
mouche naturelle ou à mouche artificielle? Trogne
remonte son pantalon, glisse en trois coups de pantoufles jusqu'au bout de sa terrasse, regarde le
ciel, et selon le cas, il dit naturelle ou artificielle.
Puis il demande des nouvelles de la grosse noire
qui est dans les blocs du pilier par ici, et le chef
commence à dire des mots assez gros. Mais ça, ou
le train, c'est quelques minutes dans le jour; le reste
du temps, ce sont les mésanges et le bruit extraordinairement vert d'une eau froide qui frappe
assez rudement les pierres des limons et des herbes.
La station, en plus du village, dessert seize hameaux,
cinq chantiers à bois et plus de cent fermes dis-
persées...

— Fais débarrasser les voies, dit le chef. Dis un
peu à tout ce monde qu'il foute le camp de là-dessus.
C'est pas en se mettant sur les rails qu'ils feront
venir le train plus vite. Dis-leur qu'ils aillent
chez Trogne. On les appellera quand ce sera l'heure.

— C'est plein, chez Trogne, dit l'Équipe.

« L'Équipe », c'est un grand avec de très beaux yeux de veau, le nez bouché et les bras mous.

— Débrouille-toi, dit le chef.

Il a mis sa casquette « à la mauvaise » : sur les yeux et par côté. Il a l'écouteur du téléphone à l'oreille et il tord toute sa figure pour parler à l'Équipe en restant quand même en face de l'appareil.

— Allez, vas-y. Qu'est-ce que tu fous, là, planté? On te dirait en crème blanche. Débarrasse les voies, je te dis. Il n'y en a pas un dans ce téléphone qui soit foutu de me dire où est passé le 1312. D'un moment à l'autre il est capable de sortir des saules sans être annoncé.

— J'y ai dit tout ce que je savais, dit l'Équipe. Qu'est-ce que tu veux que j'en fasse. Il y a huit heures qu'ils attendent. Trogne a plus de bière.

— Prends-les par le bras et mène-les dehors.

— Tu rigoles, dit l'Équipe. Ils sont plus de cent.

— Fais ce que je te dis, dit le chef. Tu es sous l'autorité militaire maintenant.

— Il y avait un train extra hier soir à minuit quatre; il est passé ce matin à six heures; il y avait le 1312 normal à sept heures; il est plus d'une heure de l'après-midi, et on peut remonter toute la ligne avec le téléphone, personne ne sait où est le 1312. Ils t'engueulent dès que tu en parles. Ils te disent : foutez-moi la paix, qu'est-ce que vous voulez que nous y fassions? Et moi, qu'est-ce qu'ils veulent que j'y fasse, alors? Je ne demande pas mieux que de leur foutre la paix. C'est pas moi qui ai déclaré la guerre.

Ceux qui sont arrivés ici cette nuit sont partis par le train de six heures. C'étaient des paysans des

fermes les plus loin. Quand le jour s'est levé sont
arrivés les paysans des hameaux, puis ceux du village. Tant qu'ils ont été dix ou vingt, ils sont allés
chez Trogne. Puis un est venu et a dit : « Chef,
il en a encore pour longtemps, ton train? Quand
il viendra, sonne un peu fort. On est chez Trogne. »
Même quand ils ont été trente ou quarante,
quoique déjà et depuis longtemps, il n'y avait plus
rien à boire chez Trogne. Mais ils sont allés
regarder par le trou à truites et ils sont revenus.
Puis, il y en a eu cinquante, et soixante, et cent,
et il en descend toujours à travers les tilleuls. Il
en descendait toujours car ça s'est un peu arrêté
depuis midi. Ils sont au moins cent cinquante.
Ils ont demandé cent fois chacun s'il y en avait
encore pour longtemps. Ceux qui sont arrivés ici
les premiers ne bougent plus; ils ont épuisé tous
les moyens de passer le temps; ils sont plantés
droits sur le quai; ils regardent du côté des
saules et ils attendent. Si le chef de gare sort du
bureau ils le suivent de l'œil dans tous ses gestes :
voir s'il ne va pas au sémaphore ou s'il inscrit
quelque chose à la craie sur le petit tableau noir.
S'il passe à côté d'eux, ils demandent : « Et alors? »
Si c'est l'Équipe — il leur a dit plus de cent fois
à chacun : « Sortez-vous de là, allez vous promener.
Bonjour, Paul. Dis donc, Paul, va donc là-bas
sous les tilleuls avec tes collègues, c'est pas encore
l'heure. » — Si c'est l'Équipe, il a beau dire et il
pourrait avoir beau faire, ils font un pas ou deux
de côté, et ils restent là, plantés, à regarder le côté
par lequel le train vient d'habitude. Ils ne parlent
pas, ou guère. Ils ont tout dit, n'ayant d'abord rien
à se dire ou presque rien. Quoi? Tu as fini de
ramasser tes pommes de terre? Ils savent bien que

non, qu'il n'a pas fini et qu'eux-mêmes n'ont pas
fini et que les sacs pleins sont abandonnés dans
les champs. Comment ça va, chez toi? Ils savent
bien que ça va mal, chez toi, chez moi, chez tous.
Malgré ça, ils se sont demandés quand même,
puis : Où vas-tu? Ils se sont dit les villes et les régi-
ments. Il y en a qui allaient ensemble. Ils ne se
quittent plus. Mais après? Parler de quoi? Tu
connais, toi, là où l'on va? Non, ou bien oui. Ça
ne fait pas de la conversation pour des heures. Ils
ont dit : Quelle catastrophe? — Oui. Tout le monde
a dit : Quelle catastrophe! — Et tout le monde a dit
oui. Et ça non plus, ça ne fait pas de la conversation pour des heures. Maintenant, c'est fini, ils
ne parlent plus. Ils fument. Puis même de ça, ils
ont fini par en avoir assez. Ils ont dit, non merci,
au paquet de cigarettes. Fais une pipe... Non,
merci, j'ai la bouche enflammée. Et ils regardent à
côté d'eux pour pouvoir cracher. Mais ils ne peuvent
pas parce qu'ils sont serrés les uns près des autres,
il faut se déplacer et aller cracher sur la voie.
Ils sont restés longtemps debout, puis un s'est assis
au bord du quai et a mis les jambes sur les rails.
Il a dit : Tant pis. Ils se sont tous assis, et ils ont
tous allongé leurs jambes n'importe où; sur les
rails, tant pis.

Les nouveaux qui arrivent disent : « Qu'est-ce
que vous faites là? — Rien, tu vois, nous atten-
dons. — Oh! moi, disent-ils, je vais boire un
coup chez Trogne. — Viens boire un coup, disent-
ils, s'ils ont trouvé un collègue. — Non, merci. »
Il y a longtemps qu'il n'y a plus rien à boire chez
Trogne. Et puis, quoi boire comme ça, à une
heure de l'après-midi, un jour de semaine, non.
Ils ont bu ce matin et c'était déjà assez triste comme

ça. Mais l'autre se dit : bon, et il va chez Trogne,
quand même. C'est tout petit. C'est quatre
tables. Ils sont une trentaine là-dedans. A la fin,
Trogne leur a donné une vieille bouteille de
Vespétro qu'il a trouvée dans un trou de la cave
(il savait qu'elle y était). Qu'est-ce que tu veux
que ce soit, une bouteille, à trente? Et qu'est-ce que
vous voulez que je vous donne, moi? J'avais trois
caisses de bière. Je ne demanderais pas mieux que
d'avoir des caisses de bière, je gagnerais ma
journée, va. Ils ont bu le Vespétro. Après ça, il a
encore trouvé une bouteille de Fernet-Branca. Il
a dit : c'est pour les coliques. Ils ont dit : Nous
avons des coliques. Mais quand même ils ont trouvé
que ça avait le goût de la pharmacie. Un qui a bu,
au bout d'un moment, a dit du mal de Dieu parce
qu'il avait laissé sa femme malade, seule, avec
deux petits jeunes. C'est Alice, de la Commanderie. On dit qu'elle est phtisique. — Après ça, je n'ai
plus rien. Si, au bout d'un moment : j'ai encore
de l'eau des Carmes, toujours pour les coliques.
J'ai aussi un fond de bouteille de Raspail avec de
l'hysope dans l'eau-de-vie, toujours pour les
coliques. — Tu as beaucoup de choses pour les
coliques. — Parce que j'en attrape souvent quand je
me mets à la glace pendant des heures dans l'eau
pour aller pêcher. Ils ont pris des « canards » à
l'eau des Carmes et au Raspail. — Et puis voilà,
il n'y a cette fois plus rien de rien. Même pas
de vin pour moi, si je soupe ce soir. Et la bière, le
Vespétro, le Fernet, le Raspail et l'eau des Carmes
sont mis à parler et à frapper du poing sur les
quatre tables et ici dedans c'est devenu un endroit
d'où il monte des flammes contre Dieu.

Ils tournaient parfois leur tête vers la lumière

aveuglante de la petite porte. L'embrasure était
bourrée d'épaisses gerbes de soleil. C'étaient des
violents. Tous se sont battus au moins une fois
par foire; tous à un moment donné se sont jetés
sur un homme comme des loups. Tous étaient là.
Ils s'étaient trouvés sans se chercher. Ils s'étaient
triés des autres parce qu'ils étaient incapables d'attendre en regardant les saules, mais capables de
boire n'importe quoi : Vespétro et tout; et même
quand on n'eut plus rien à boire, un de ceux-là
dit : « Tiens, si on n'a plus de lichette, alors... »
et il lécha son briquet à essence. Il y avait Rousse-
let de la Grand'Partie, Sarezin du Taillas, Scipion
Tellier de Silence, Phillipot de Marigny, celui qui
habita cinq ans avec une femme enragée, Lombard
de Berge-Rousse, Ech Grand Quêne, Ech Grand
Blanc, Ech Ours et Ech Bailly encore tout noir,
carbonisé et tordu de la fois où, après la grosse
bagarre de la foire de septembre, les charbonniers
sautèrent sur lui et le lancèrent dans le feu pour
le faire cuire; tous les quatre dits « de la ferme
Lucrèce ». Ech Ours n'a plus de visage. Il tournait
vers le soleil de la porte ce morceau de bois pourri
dans lequel il a comme une bouche, comme un
nez, des yeux qui, ma foi, quand ils s'arrêtent,
sont bons; seulement, ils papillonnent tout le temps.
Il y avait leur maître : Emmanuel de Lucrèce. De
Galba, de Jomini, de la Bianca, de Kadoret, de la
Commanderie, de partout par là autour. Ils étaient
plus d'une trentaine, là-dedans, chez Trogne. C'était
bien, oui vraiment, un endroit qui s'enflammait
terriblement contre Dieu. Mais à certains moments,
ils tournaient leurs visages vers la lumière.

Les nouveaux viennent jusqu'à la porte du café,
mais ils s'aperçoivent vite que : Oui, n'est-ce pas,

on ne peut pas. Ils ont encore le souvenir de leur
salle à manger ou de leur cuisine de ferme qu'ils
ont fait blanchir juste en mai, le souvenir de
leur « intérieur », quoi, alors, non, ils s'en vont.
Ils ont surtout envie d'être très bons, sans reproches.
Ils comprennent pourquoi les autres sont assis sage-
ment sur le quai et ne bougent plus. Ils voient que
d'autres se sont mis dans le bois de tilleuls; ça c'est
encore possible, un bois de tilleuls. Alors, ils y vont.

Il y avait là une mystérieuse ombre verte. Les
arbres énormes sortaient avec violence de la terre
nue. Une ardente pluie de lumière traversait le
sous-bois. Les hommes campaient là-dessous comme
une avant-garde d'armée paysanne loin de chez elle.
Ils avaient pris position dans le bois par groupes
espacés. Couchés sur le ventre, ils semblaient guet-
ter; couchés sur le dos, c'étaient des morts; les
autres, assis, mangeaient. Quelques-uns s'étaient
attroupés autour d'un grand charpentier qui
essayait de réparer le soufflet de son accordéon avec
des épingles de nourrice et ils riaient à tous les
grognements de la bête de toile. A travers les
piliers de la petite forêt claire on voyait serpenter
la route. Elle faisait un, puis deux, puis trois détours
et, chaque fois, elle traversait le bois d'un bout
à l'autre. C'est dans les échos des arbres qu'ils
entendirent arriver la charrette. On la vit descendre
sous les arbres comme si elle venait du ciel (la
route tombait de haut). Quand elle quitta les
champs là-haut dessus pour descendre par la
forêt dans ce vallon étroit où passait la voie
ferrée, on entendit les pas du cheval et l'on vit
d'abord les pattes du cheval sortir là-haut du feuillage des arbres. Puis les roues, le poitrail, la tête
descendirent des feuilles à mesure qu'on voyait un

peu de route sur quoi tout marchait. Ils se tour-
nèrent tous vers ce bruit champêtre. C'est beau,
tout d'un coup, une charrette et un cheval qui va au
pas. Même celui de l'accordéon dressa le cou.
Elle commence à traverser le bois de gauche à droite
dans la hauteur, là-bas au fond, comme si elle passait d'abord sur une estrade, puis elle tourna dans
le détour, et elle retraversa le bois de droite à
gauche en descendant chez les hommes. « Qui est
celui-là? » dirent-ils, pendant qu'il passait (les
détours lui firent traverser le bois encore une fois
dans chaque sens comme sur un théâtre). Père,
sous l'ombrage, n'était plus noir. On voyait le
velours de sa veste et les gros boutons de métal.
Il avait seulement un peu plus écarté ses jambes,
et, les avant-bras posés sur les cuisses, les poignets
débordant juste les genoux, il jouait avec les
guides. De temps en temps, il se frottait les yeux.
Ils le regardèrent passer au pas, d'abord là-bas,
puis presque au milieu d'eux : celui de l'accordéon
dut même retirer ses jambes de dessus la route. Le
cheval et la veste luisaient; il y avait toute une
blancheur de poussière sur la charrette et le
rayonnement mobile, lent et régulier des roues
enchantait. Ils le regardèrent passer sans parler.
Père secouait doucement les guides. Il semblait un
pêcheur qui agace un poisson.

« Qui est celui-là? » dirent-ils les uns aux autres.
Il n'y avait là personne qui pût le connaître; ceux
qui le connaissaient étaient sans doute là-bas, chez
Trogne; ici, il n'y avait que des fermiers du côté
des Essarts ou des Garidelles, la plus riche partie
du pays. « Il me semble que je le connais. » Ils se
dressèrent un peu pour le suivre en bas quand
il aborda le terre-plein de la gare. « Qu'est-ce qu'il

fait? — Il va chez Trogne. — Il s'arrête. — Il
descend de la charrette. — Il parle à Trogne.
— Trogne rentre. — Il sort avec un grand gros et un
petit. — C'est Ech Grand Quêne et on dirait Pierre
de Galba. Maintenant c'est Ech Bailly qui sort.
Ils vont là-bas derrière. Ils ramènent une motocyclette. Ils la chargent. Il est venu chercher une
moto. » Ils se recouchèrent sur l'herbe. « Je crois
que c'est un qui habite par là-haut vers Saint-
Christophe; bien au-dessus. » Celui de l'accordéon lécha la toile et dit qu'en réalité ce qu'il faudrait, c'est de la colle. « Pourquoi as-tu porté un
instrument cassé? — Je l'ai déchiré cette nuit, en sautant une murette. Je le portais en bandoulière, il a
frappé sur les pierres dans mon dos. Oh! malgré
tout, ça doit faire avec des épingles. » Il écrasa
quelques accords, puis une ou deux mesures. Il écoutait attentivement ce qui se passait dans les grognements, puis il s'arrêta, se dressa, regarda en même
temps que tous les autres. C'était en bas qu'on parlait. C'était Ech Grand Quêne et Pierre de Galba
avec Ech Bailly et Trogne qui disaient au revoir
à la charrette.

   A la montée, Père dressa le bras et dit : « Salut », et
il en profita pour se frotter l'œil. Ils dirent : « Salut. »
Un peu plus loin, il dit : « Vous n'êtes pas mal, là. »
Ils ne dirent rien, ils se contentèrent de sourire.
Un peu plus loin, on vit qu'il devait parler ou
saluer car il dressa encore son bras et de nouveau
après se frotta l'œil. Puis la charrette monta sur
son estrade, fit encore deux fois dans chaque sens
la traversée de toute la largeur du théâtre, puis la
tête du cheval disparut dans les feuilles, les pattes
continuèrent à s'agiter deux ou trois pas en frap-
pant les échos et tout remonta comme dans le ciel.

C'était trois heures et demie quand Père arriva au village. Sur la place on lui demanda si le train était passé. Il dit : « Non, ils sont encore tous là-bas à attendre. » Avait-il entendu siffler le train pendant qu'il venait? Non, pas du tout, maintenant ce qu'il fallait dire, c'est que, depuis ce matin, il avait une mouche noire dans l'œil et que ça le fatiguait à la longue, il n'était pas sûr que par moment il n'ait pas dormi sur le siège. Il se dit, je vais quand même m'arrêter chez Françoise. C'était sa sœur. Je lui dirai qu'elle me fasse boire quelque chose. Je crois que je suis un peu endormi. Il tourna dans la rue près de l'église, puis la première traverse à droite et il s'arrêta à l'angle où il y avait un anneau de fer dans le mur. Il y attacha le cheval. On ouvrit la fenêtre au-dessus de lui. Une femme se pencha sur deux boîtes de fer où fleurissaient des géraniums.

— Salut, madame Pierre, dit-il. Vous ne savez pas si ma Françoise est là?

— Elle y est sûrement, je l'entends qui allume son feu.

Il monta péniblement les petits escaliers étroits.

— Et qu'est-ce que tu fais sur les routes, toi? dit-elle, quand elle le vit entrer.

Elle avait dix ans de moins que lui. C'était une petite vieille à la bouche mince comme un fil, avec des yeux très vifs. Elle avait le surnom de « belette ». Mais ici, ça voulait dire aussi « petite belle », à cause de l'incroyable propreté de cette femme toujours coiffée d'un blanc absolument pur qui étonnait et faisait retourner.

Chez elle, c'était déjà tout sombre, on ne voyait d'abord que sa coiffe et les flammes de l'âtre; on l'entendait casser du bois et le mouvement de son genou dans ses grosses jupes.

— Et toi, dit-il, qu'est-ce que tu fais?

— Tu vois, dit-elle, j'allume mon feu.

— Justement, dit-il, je ne vois guère. Depuis ce matin j'ai une mouche noire dans les yeux et quand je suis entré dans ton ombre, ça m'a ébloui.

— Allons, assieds-toi, dit-elle.

— Tu n'as pas quelque chose à me faire boire?

— Si, qu'est-ce que tu veux?

— Je voudrais quelque chose qui me remette.

— Qu'est-ce que tu te sens?

— Oh! d'abord fatigué, une barre là et les yeux brûlants. Je me coucherais n'importe où : sommeil et un peu mal au cœur.

— Je vais te donner de l'hysope.

— Donne-moi quelque chose qui m'enlève trente ans.

— Si j'en avais, je me servirais la première.

— Je ne suis même plus capable de mener le cheval. C'est lui qui me mène.

— Allons, bois.

— Bon Dieu, que c'est amer. Qu'est-ce que tu as mis là-dedans?

— Tu en as bu cent fois. C'est toujours la même bouteille.

— Aujourd'hui, je le trouve amer.

— Tu veux de la soupe?

— Non.

— Tu veux un bout de lard?

— Non, j'ai mangé.

— Alors, bois encore un petit coup.

— Tu ressembles de plus en plus à notre mère, maintenant, Françoise.

— Qu'est-ce qu'il y a d'étonnant?

— Tu allumes le feu de quatre heures exactement comme elle.

— Il n'y a pas trente-six manières de l'allumer.

— Quand je suis entré, tu étais à droite de la cheminée; ton bois à côté de tes pieds, tu le cassais sur ton genou, et avant de le mettre au feu, tu en faisais un petit tas sur le trépied.

— Parce que c'est le plus commode.

— Et c'était quatre heures. Je l'ai su tout de suite sans pendule.

— Parce que c'est l'habitude...

— C'était quatre heures d'il y a soixante ans. Toi, tu devais être sur le chemin de Pégu en train de ramener les cochons de la glandée. Elle, elle allumait son feu. Il y avait son petit nez et le bruit qu'elle faisait avec sa bouche comme si elle fumait la pipe.

— Je ne fais pas du tout de bruit avec ma bouche!

— Tu es comme elle, avec cette façon de s'écraser la bouche entre le menton et le nez.

— Si tu as vu tout ce que tu dis, tu n'étais pas si ébloui que ça.

— C'est peut-être ça qui m'a ébloui tout d'un coup après la grande lumière.

— Qu'est-ce qu'il y a d'étonnant que les enfants ressemblent à leur mère et que ce soir, je fasse comme elle faisait pour allumer notre feu?

— Pas seulement ce soir. Tu le fais tous les soirs.

— Oui, peut-être.

— Tu mets tous les soirs le bois à tes pieds et tu te places comme tu es là maintenant, toujours du même côté de la cheminée.

— C'est vrai.

— Et si on t'obligeait à te mettre de l'autre côté...

— Oh! sûrement, je serais maladroite.

— Eh bien, tu vois, notre mère est morte, mais la façon qu'elle avait de faire les choses n'est pas

morte. Et elle, de qui la tenait-elle? Qui a commencé
la première à faire le feu de quatre heures? Oui,
mettons que dans notre famille on ait trouvé le
truc de se placer du côté droit de la cheminée,
mais qui a allumé la première fois le feu de quatre
heures? Car, fais le tour de tout le monde que
tu connais, à cette heure-ci, toutes les femmes
allument le feu de quatre heures. Comme si on
leur avait donné le mot. On meurt, oui, oh! c'est
entendu! mais tout le reste...

— Qu'est-ce que tu as à te frotter tout le temps
l'œil?

— Je t'ai dit que j'avais quelque chose comme
une mouche. Dès qu'il y a un peu de clair, ça
m'agace.

— Tire-toi dans l'ombre.

— Tu vois : nous pouvons mourir, il peut se
passer n'importe quoi, mais les gens comme nous
autres mangent la soupe à six heures et il faut
que les femmes allument le feu à quatre heures.
Tout pourrait être à feu et à sang, au premier
moment de calme, tu peux être sûre que dans
quelque coin, une femme allumera le feu de quatre
heures.

— Qu'est-ce que tu fais, comme ça, en te balançant sur les pieds de ta chaise?

— Je ne sais pas, je ne fais rien.

— Tu ressembles à Père, tiens, maintenant, toi,
penché en arrière, avec ton coude dans ta main,
et ton chapeau sur le derrière de la tête, à te balancer.

— Je n'ai jamais vu mon père faire ça, tu confonds
avec l'oncle Baptistin.

— Comme si je pouvais confondre l'oncle Baptistin avec mon père! Il s'asseyait exactement comme

tu es maintenant, je te dis. Il faisait relever les pieds de devant à la chaise et il se balançait. Il était assis là où tu es, près de la cheminée. Et ma mère était là où je suis, et elle disait : Antoine, Antoine, trois ou quatre fois, jusqu'à ce qu'il réponde : oui, et il se remettait d'aplomb.

— Je n'ai jamais vu mon père assis sur une chaise. Il n'a jamais eu le temps. A Pégu, il y avait des bancs autour de la table, tu te souviens bien? Et notre père ne s'est jamais assis qu'à la table.

— Je te parle du temps où nous avions quitté Pégu.

— Ah! quand j'étais déjà à la Bérarde, quand vous êtes venus ici, un peu avant qu'il meure?

— Oui.

— J'avais déjà mes soucis, moi, à cette époque. Je commençais à m'installer, mais je pensais souvent à vous autres deux, ma mère et toi, qui étiez ici avec lui. Je me rendais bien compte qu'il était en train de mourir. Mais qu'est-ce que tu veux, Françoise, je ne pouvais pas quitter la terre là-haut une seule minute.

— On ne te l'a jamais reproché, François.

— C'est sûr, parce que vous savez ce que c'est.

— Il fallait que tu fasses ton travail, François. Personne ne l'aurait fait à ta place.

— Cependant j'aurais eu grand plaisir à le revoir. Souviens-toi, Françoise, je suis arrivé juste pour l'enterrement : il avait fallu une heure avant que je sauve tout mon foin de l'orage, et c'était aussi les derniers repas de nos vers à soie, il fallait passer la journée sur les mûriers à cueillir de la feuille. Quand je suis arrivé, il était déjà dans sa caisse et cloué. Ça m'aurait fait plaisir de le revoir.

— Il y a beaucoup de plaisir qu'on n'a pas. Mais

tu dis que tu es arrivé juste, ce jour-là. Pas du tout, François, on t'a attendu. Nous avions vu l'orage de ton côté. Mère a dit aux gens : Prenez des chaises. De notre côté, rien ne presse maintenant, nous pouvons attendre; mon François a dû vouloir rentrer son fourrage, asseyez-vous. Un fils ne peut pas se dispenser d'enterrer son père. Et, une heure après, tu es arrivé.

— Eh oui! Parce que tout doit se faire.

— Nous n'avions jamais parlé de ça, François.

— Il n'y avait pas de raison. Aujourd'hui, j'en ai eu envie. Ce matin, sur la charrette, j'ai été obligé de fermer les yeux tout le temps à cause de cette mouche. Je me suis demandé s'il était mort de fatigue.

— Il y a toujours un peu de fatigue, mais il n'y en a pas eu trop.

— Nous parlons de choses anciennes.

— Nous parlons de choses qui se sont passées, il y a quarante ans.

— Est-ce qu'il s'était vu mourir?

— Oui. Un jour, il est sorti; il allait sur la place de l'église s'asseoir et prendre le soleil; il est rentré. Mère lui a dit : tu rentres déjà? Il a dit : je languissais d'être dedans. A partir de ce moment-là, il n'est plus sorti. Il mettait sa chaise dans l'ombre, là où tu es. Il restait là tout le jour à se balancer. Et maintenant que j'y pense, il bourdonnait tout le temps.

— Ça ne veut rien dire. Moi aussi, je me suis mis à bourdonner ce matin. C'était pour empêcher que je m'endorme.

— Il devait se douter de quelque chose, parce qu'une autre fois, il a dit : Je vais aller voir Baptistin. Mère a dit : qu'est-ce que tu veux aller faire

chez Baptistin, tu n'y vas jamais? Il a dit : je voudrais un peu parler. C'est mon frère. J'ai envie de
parler un peu des souvenirs. Mère a dit : eh bien,
reste là, je vais aller dire à Baptistin qu'il vienne.
Je les vois encore. L'oncle Baptistin s'est assis là
où je suis. Ils ont parlé de leur jeunesse. Tu te
souviens de notre grand-mère?

— Je me souviens d'une femme qui avait toujours
des coiffes blanches.

— Ils ont dit qu'elle se levait la nuit pour les
laver.

— En réalité, tu vois, Françoise, il n'y a pas cent
choses à faire. Ce sont toujours les mêmes.

— Tu veux que je te fasse un peu de café?

— Non, maintenant, c'est l'heure, il faut que je
remonte. Catherine est seule là-haut.

— Qu'est-ce qu'elle fait?

— Toujours pareil.

— Il faudrait qu'elle fasse un petit.

— Peut-être qu'elle n'est pas bonne.

— Alors, elle ne sera pas bonne pour le reste.

— Ils ont encore eu des raisons hier soir, quand
Chon est parti.

— Il aurait pu passer me dire au revoir.

— Il est parti à minuit. Il n'a pas voulu te réveiller.

— Je ne dormais pas. Personne n'a dormi.

— Il en est beaucoup parti d'ici?

— Tous.

— Le maréchal est parti?

— Oui.

— Le quincaillier?

— Oui.

— Le cordonnier?

— Oui.

— Le menuisier?

— Oui. Il n'y avait déjà plus de jeunes. Et de ton côté?

— Oh, par là-haut aussi.

— Comment ils vont faire dans les fermes?

— Je ne sais pas. Toute la récolte de pommes de terre est dans les champs. Le blé n'est pas battu. Les poires sont sur les arbres. Il n'y a plus personne pour garder les troupeaux.

— Il me semble que pour l'autre guerre, ça n'était pas pareil, François.

— Nous étions plus jeunes, Françoise. Allons, je m'en vais. Maintenant va savoir quand nous nous reverrons. J'ai bien fait de venir.

— Je crois que tu as bien fait.

Il détacha le cheval et il le fit reculer jusqu'à la place en le tenant par le mors. La bête renâclait; elle soufflait entre ses mâchoires ouvertes une odeur d'herbe crue, écœurante : sucrée et pourrie. Père se dit : il faut qu'il ait mangé de la charogne pour qu'il sente mauvais comme ça. C'est une drôle de bête — en même temps, il la poussait par le bridon pour la faire reculer —, elle te regarde avec des yeux chavirés. Qu'est-ce qu'elle fabrique, comme ça, avec ses oreilles de chauve-souris et ses yeux blancs?

« Recule », dit-il, comme le cheval essayait de délivrer sa tête; il lui secoua le mors dans les dents. Il le mena ainsi jusqu'au coin de la rue et il monta sur la charrette. « Allez, dit-il, maintenant, fais ton affaire, porte-moi. »

La rue de Verdun était déserte. La place du monument était déserte. La rue de l'église était déserte. La route s'en alla dans les champs. Un détour ramena le village droit devant elle. Il était

en gloire dans le soleil rouge. Les maisons serrées
couvraient presque toute la petite colline, sauf le
sommet vers lequel on voyait à travers des pins
le chemin de croix d'un oratoire. Le dôme bube-
lonné de la petite chapelle émergeait des feuillages
comme le bourgeon écumeux d'une vague et sur le
plus haut de sa cime un ange de pierre de taille
dressé sur la pointe de ses orteils ouvrait ses ailes
immobiles au milieu du vent. Puis la route retourna
face au couchant. Le soleil baissait dans un prodi-
gieux entassement de nuages. La lumière volait à
ras de terre; elle frappait et jaillissait dans l'entrechoquement des collines, elle allongeait l'ombre
des arbres. On passe là-dessous comme sous des
portes, se dit Père. En effet, on avait subitement
de la fraîcheur, comme sous une arche; au-delà
on retrouvait la tiédeur de l'air. Et le soir tomba
pendant qu'il montait lentement vers les hauteurs.

Longtemps avant d'arriver au défilé, il commença à entendre là-bas, loin devant lui, le grondement du couloir de rochers. Tout de suite après
avoir vu le village et son ange, puis le monde rouge
des nuages, il avait fermé les yeux. Et depuis il
s'était laissé porter, se contentant juste de suivre
du corps le déhanchement de la charrette et pour
tout le reste : à la grâce de Dieu; sauf quand le cheval s'arrêtait pour arracher une mâchée de folle
avoine. Alors, sans ouvrir les yeux, il lui disait
simplement : « Avance. »

Il passait comme ça sous plus de cent ombres
d'arbres, et chaque feuillage lui disait : saule, ou
tilleul, ou cyprès, ou mûrier, ou bien, fayard et il
y avait alors une plus grande fraîcheur; le tunnel
était plus long; ou bien, ormeaux, et il avait alors
une odeur de laine parce qu'en temps ordinaire

les moutons viennent se coucher dans les grandes
racines de l'arbre. Cela durait le temps de trois,
quatre, cinq, six pas de cheval, des fois dix ou
douze, et de l'autre côté de l'ombre il retrouvait
le doux soleil couchant, le sang palpitait dans ses
paupières, la tiédeur touchait son visage. Quand
le défilé commença à gronder, il se dit : Là-haut,
c'est la grande porte. Bientôt, je serai chez moi.
Il écouta venir à lui ce bruit d'écho dans lequel
galopaient les eaux. A la fin, il entrouvrit les
paupières. Le soir était venu. Le miraculeux pays
des nuages s'était couvert de forêts ténébreuses.
Bleues et grasses, elles retombaient dans le ciel
le long de farouches escarpements. A leur avancée
terrestre, il vit se dresser la haute porte de
rochers. Le pas du cheval se ralentit. Il approcha.
Les grandes crinières du torrent grésillaient dans
les aulnes. Père chercha les pans de son manteau.
Il les tira sur son ventre, il remonta le col sur
ses épaules; il ne pouvait plus guère bouger comme
si l'air était devenu, autour de lui, la profondeur
d'une argile; il croisa seulement ses bras sur sa
poitrine comme une chenille qui ferme son cocon.
Et il entra.

La gorge était froide. Les bruits du soir y reten-
tissaient. Les aigles gris rentraient de la chasse.
Ils flottaient comme des balles d'orge contre le
front des rochers. Les serpentements de la nuit les
engloutissaient, puis, ils surgissaient d'un remous
et glissaient sur le ciel de perle. A la lisière de la
forêt de sapins, une aiglonne sautait dans les fougères en piétinant sa proie. Enfin, elle se posa sur
elle, assura ses griffes; sous ses ailes, elle bougeait
encore un peu ses grosses cuisses blanches. Elle
s'envola. Elle était lourdement chargée. Elle

essaya de remonter le glacis en volant au ras des
chênes verts. Elle donnait de si forts coups d'ailes
qu'elle frappait le balancement de sa prise. Elle
glissa de côté et lâcha sa proie : une hase pleine qui
se creva le ventre sur une branche. Il y resta pendu
des tripes et un chapelet de petits levrauts roses.
L'aiglonne plongea sous l'arbre. Quand elle se déga-
gea des feuillages, elle emportait cette fois la bête
avec aisance.

La nuit toucha la forêt. Les sapins relevèrent
leurs capuchons et déroulèrent leurs longs manteaux. De grandes pelletées de silence enterraient
le bruit du torrent. Une buse miaula. Les aigles
étaient rentrés dans le rocher. Une étoile sortit du
rocher et recommença à planer; un petit vent âpre
ébouriffait ses plumes d'or. Longtemps elle resta
seule, pendant qu'autour la nuit s'approfondissait.
Alors les grandes constellations se levèrent. Une
qui avait des éclats rouges se tint toute droite sur
la queue comme un serpent. Une autre prit son vol
en triangle comme les canards sauvages. Une
planète palpita comme la lanterne du bûcheron
sous les arbres. Des vertes, des bleues, surgissaient
des endroits les plus sombres. On entendait le vent
racler le ciel autour des étoiles. Elles prenaient
tout de suite l'éclat le plus vif comme le jet d'une
source de feu; elles se réunissaient en famille en
forme d'araignée, d'anguille, de poisson, de reins,
de fouines, de flanc de chat, de queue de cheval,
d'œil, de chevelures, de fouets, de roues, d'éclatement continu de poussières. La voie lactée commença à frapper un peu de partout les ténèbres
avec sa tête de vieux fleuve; enfin elle se fit un lit
et lentement, elle déversa dans l'ouest, son lourd
ruisseau de laitance.

Père fermait ses yeux de toutes ses forces. Mais
par une petite fente entre ses paupières, la nuit
malgré tout suintait. Elle lui embarrassait le sang
de formes extraordinaires. Il eut brusquement une
si effroyable curiosité de ce que l'ombre faisait
en lui qu'il cria. Des doigts de fer lui ouvrirent
les yeux comme on casse un œuf. Une énorme étoile
éclata dans sa tête.

Le cheval s'aperçut tout de suite que ce qu'il
attendait depuis le matin venait d'arriver. Père
était devenu tout d'un coup très lourd. A chaque
coup de collier, ce poids mort mal placé, toujours
assis sur le siège, balançait. Il fallait le faire tomber
sur le plancher de la charrette. Le cheval engagea
une roue sur le talus, tira de biais avec un coup de
reins très sec, et Père tomba sur le plancher de la
charrette.

Les chevaux ont un grand appétit de la nuit.
Celui-là commença à prendre tout de suite ses
libertés et, d'abord, il marcha pour lui-même. Il
avança en relevant joyeusement les jambes. Il
secoua la tête et il éternua pour s'éclaircir les
narines. Un appel courut la forêt. Le gras de
résine se mit à sentir très fort. Le cheval dressa une
de ses oreilles. Il avait souvent entendu le nocturne.
Mais à ce moment-là il était toujours enfermé dans
l'étable. Tout ce qu'il pouvait faire, c'était de déta-
cher sa longe, venir renifler sous la porte et hennir
au risque de se remplir les naseaux de poussière.

Dès que les étoiles paraissent, ce qui commence,
c'est le nocturne. Toutes les bêtes et toutes les
plantes y sont très sensibles. Parmi les arbres de
montagne, le plus sensible, c'est l'alisier; après
vient l'érable. Mais de loin la plus sensible de

toutes les plantes, c'est un arbuste de la plaine :
le jasmin. La moins sensible est la bardane; cela se
reconnaît à ce qu'elle a des poils sur les feuilles.
Pas de duvet : du poil, et rare, et raide. Le duvet,
quand il est soyeux, sensibilise, au contraire, sans
aller toutefois jusqu'à cette compréhension presque
géniale des feuilles lancéolées et nerveuses du jasmin, lisses comme d'un usage millénaire. Et, pour
les bêtes, le poil soyeux les rend également intel-
ligentes; ou tout au moins, est la marque qu'elles
le sont; ou tout au moins, qu'elles sont extraordinairement sensibles, prêtes à saisir les plus
minuscules intentions, prêtes à jouir de cette
magique harmonie sensuelle de la nuit. Le nocturne! L'hermine par exemple, dont les traces de
fuite révèlent quatre petites pointes de griffes
groupées très éloignées les unes des autres et laissent
ainsi voir tout ce qu'il a fallu d'ondulations du
corps pour se glisser à travers l'épaisseur de ce qui
est la nuit. Quelquefois en terrain gras, ou s'il a
plu, il y a entre chaque groupe de pattes des traces
légères, presque invisibles. C'est le long pelage
d'été brun-roux qui a traîné. La bête a creusé les
reins sous une caresse. Venue d'où?

La foulée du blaireau est au contraire lourde :
deux pattes tombant presque au même endroit l'une
sur l'autre. Il semble qu'il n'y a rien d'autre, là,
que l'avancée régulière d'une bête têtue. Mais si
la terre est molle, si on regarde de près, si l'homme
solitaire, après avoir écouté tous les bruits, se penche
sur l'empreinte en retenant les craquements de ses
membres, s'il reste là-dessus, penché, sachant lui
aussi ce qu'est le nocturne, il verra combien de
furtives convulsions dans l'empreinte de la patte
qui ressemble à une main d'enfant affamé. Tout

en marchant elle pétrissait la terre sans que ce soit
un mouvement nécessaire à la marche. Le nocturne
n'est pas suavité ou délices, ou tout ce qu'on a dit
sur le chant du rossignol, c'est autre chose : (nocturne chaud, plein de draperies comme le sang
des porcs) il est suavité si on a vu avec quelle ondulation de suavité le furet boit à la veine jugulaire
du lapin. Nocturne : la vie se transvase. Ce qui se
vide geint; ce qui se remplit rote. Dans le nocturne
chacun porte sa destinée comme une glande à
salive : on ne peut rien manger sans elle; on ne peut
rien ressentir sans qu'elle sue.

Le cheval frétillait de la croupe, tourbillonnait
de la queue et malgré les brancards il ondulait des
flancs et faisait à chaque pas des ronds de jambes.
En même temps, il riait de toutes ses dents et la
lueur des étoiles allumait une pâquerette au coin
de ses babines sur la boucle du bridon.

Il y a une grande sensibilité dans un hêtre. Les
hêtres habitent au-dessus de la forêt de sapins;
ils y ont là-haut de grandes foules solitaires qui ne
sont pas une forêt, mais une agglomération de
bosquets à travers lesquels l'air vif est entièrement
libre; des hêtres descendent et se mélangent aux
sapins; sur les lisières basses quelques-uns se sont
avancés assez profond dans la forêt sombre. Ils y
éclatent. Le hêtre préfère qu'on l'appelle fayard;
c'est le bruit de son dur feuillage dans le vent.
Fayards, on les entendait, là-haut dans la nuit.
Ils comprennent parfaitement les étoiles. Elles
se reflètent sur le vernis des feuilles. Tout le long
des années, les fayards portent d'abord ces faînes
de reflets, les vraies qui viennent en automne n'ont
l'air que d'être des faussetés pour cacher le vrai
fruit. Personne ne voit le fayard chargé perpétuel-

lement d'étoiles. L'hermine seule, le blaireau ou la
marte; la fouine ou le renard, le chevreuil qui laisse
sur la terre trois doubles cornes pour ses quatre
pattes; et le brusque éclatement d'une voie de cerf
quand il a vu, dans la nuit, l'arbre chargé. Sauf le
cerf, les autres voient, passent. On entendait là-haut
le froissement de toutes les pistes. Toutes les bêtes,
tous les poils les plus riches, tous les sangs les
plus lumineux ondulaient à travers les halliers
froissant le sous-bois de la poitrine ou se glissant
sous les fougères et les bardanes. C'était la première partie de la nuit. Orion lança Sirius comme
un bras de nageur sortait sa tête carrée de l'horizon.
Le cheval montait lentement la route le long du
torrent et de la forêt. Il aurait été difficile de le
reconnaître. Il traînait la charrette et ce qui y était
chargé, mais, malgré le collier, il dressait le cou, il
le recourbait en crosse d'évêque pour se renifler
le poitrail, il s'arrêtait pour allonger sa tête jusqu'à
ses jambes et éternuer contre elles de haut en bas,
il creusait tout d'un coup les reins comme sous du
poids et il amorçait dans le claquement des harnais
le chevauchement de deux pas de galop; ses fers
laissaient du feu sur une pierre et il repartait au
pas. La tête de Père frappait sur le plancher de la
charrette.

Dans les derniers jours d'août les chasseurs
avaient tiré quelques coups de fusil sur les sangliers
de la gorge : notamment sur une laie un peu maf-
flue qui, malgré la saison, avait l'air de se faire
suivre. En effet, elle avait eu sa portée très tôt
dans l'année et sa chaleur lui était revenue.
Quelques mâles avaient compris et la suivaient sans
démarrer. Elle était plutôt vieille et grasse, avec
des mamelles un peu usagées, longues et boueuses,

mais comme elle était très forte, elle répandait
une odeur extrêmement prometteuse. Cette laie
n'habitait la gorge que depuis un an ou deux. Elle
venait du devers septentrional des grandes forêts
de chênes. Elle en avait été chassée par une autre
femelle à très grosse odeur également : une qui
était même obligée d'aller se tremper dans les
ruisseaux pour se calmer et qui souvent cherchait
dans les bois des clairières de lune pour venir se
râper le ventre sur les rochers en gémissant. Elles
s'étaient battues et la laie de la gorge était partie
le groin tout déchiré par de longues plaies sur lesquelles la peau et la chair ballottaient comme de
grandes feuilles rouges. Elle avait traversé sans
pouvoir manger tous les champs de pommes de
terre du pays, au nord du château, descendant
dans les vallées, remontant les pentes au long de
nombreux nocturnes cherchant des solitudes. Elle
était arrivée affamée sur la toiture d'une des
gorges dans les grands plateaux herbeux. Maigre,
sanglante, pleine de feu, et tout de suite elle y
avait été assaillie et brusquement couverte par des
mâles sauvages qui la prenaient par terre, sans
repos, dans son sang. Puis ils la laissèrent et son
mufle se cicatrisa en forme de melon aplati. Dans
la nuit du 27 août 39 une chevrotine lui avait
déchiré l'oreille. La nuit du 28 les sangliers s'étaient
battus et elle allait avoir son mâle quand les fusils
éclairèrent les arbres de quatre coups. Le 29 elle
trotta sans arrêt avec le sanglier, n'osant pas
s'arrêter tout le long d'un admirable nocturne
plein de la saveur extraordinaire des sèves de hêtres.
L'odeur de son ventre était insupportable même
pour elle mais elle n'osa pas s'arrêter. Le 30 elle
était seule et elle s'étonna du silence. Elle trouva

par hasard un poste de feu de l'avant-veille, elle y renifla la trace des hommes, elle la trouva froide et délaissée. Le 31, elle attendit sans bouger non loin du poste qui resta froid. Vers la fin de cette nuit-là elle osa appeler car tout était resté pareil dans son besoin. Dans la nuit du 31 au 1er septembre elle entendit un grand charroi dans tout le pays, s'étant brusquement réveillée et l'ayant pris d'abord pour le bruit d'une averse. C'étaient d'innombrables pas. Elle s'apprêtait à débucher quand elle comprit qu'il y avait là-dedans des roulements de charrettes, des ronflements de moteurs et que tout ça se déplaçait sur une considérable étendue. Ça marchait sur les routes. Le moteur d'une motocyclette secoua sauvagement les échos de la gorge en bas sous elle. Tout ça n'avait aucun rapport avec la chasse. Elle allongea son mufle par terre; elle souffla paisiblement dans la poussière; elle ferma délicieusement les yeux. Elle aurait dormi si elle n'avait pas senti son besoin lui déchirer les cuisses comme un hérisson. Elle fut totalement rassurée quand elle entendit marcher à gros souliers dans le sentier qui passait à dix mètres d'elle. Et parler à haute voix : trois hommes du charbon de bois marchaient vite et s'en allaient. Au gros de la nuit, elle se dressa et à petite course monta jusque sur le dos du plateau. D'habitude, on voyait de là les lumières du château, et de l'autre côté deux ou trois petites flaques jaunes qui étaient des villages éclairés. Elle chercha dans la nuit, mais il n'y avait plus trace de lumière et loin par-delà de ce qu'elle savait être des vallées et des bois dans les ténèbres, elle entendit couler les derniers ruissellements du charroi. Ce fut si calme dans le jour du premier septembre qu'elle eut son

mâle en plein jour, ne pouvant plus attendre, mais
hurlant surtout de cette féroce lumière qui la
frappait en même temps que le ventre du sanglier.
Elle hurla encore longtemps après, toute seule,
amoureuse du soleil, son gros mufle de melon plein
de bave tourné vers la lumière, reniflant le calme
et la paix qui avec le silence s'étaient étendus sur
tout le pays. Mais aux approches de la nuit du
1er au 2 septembre, elle se mit à trembler fiévreuse-
ment. Comme les frissons qui courent sur les eaux,
les promesses de la splendeur nocturne traversaient les feuillages de tous les arbres et les pelages
de toutes les bêtes. Le soir rouge sortait d'un pro-
digieux entassement de nuages. Les hermines, les
martes et les renards, les blaireaux, les fouines et
les chevreuils, les rats, les marmottes, les putois
et les écureuils gémissaient comme des herbes
d'eau dans l'eau qui se balance. Ils se crampon-
naient dans la terre pour se retenir de ne pas
jaillir trop tôt dans le crépuscule et ils gémissaient
en se balançant les yeux fermés, les dents serrées,
attendant l'irrésistible emportement du flot de
délices. A mesure que la nuit venait, les hêtres
ouvraient leurs feuillages depuis là-haut jusqu'au
cœur des grandes branches. Les rameaux se
déployaient lentement comme une main dont la
mort ou l'amour tirent les nerfs, puis ils s'aban-
donnaient aux soulèvements de l'ombre se renver-
sant sur les feuillages proches avec une moiteur
pesante, une paisible ivresse qui tout de suite
passait dans l'arbre voisin, le bouleversant de
fond en comble, s'élargissant en lui comme des
plis dans l'eau. Il restait encore un peu de jour
et l'envers des feuilles luisait comme le renverse-
ment des écailles d'un poisson. Il n'y avait pas de

vent; un calme plat dans lequel le bouillonnement
des arbres ondulait sans bruit sur toute l'étendue
des forêts. Au moment où la nuit devint noire, les
bouleaux étaient comme des fuseaux de soie et
les alisiers bourdonnant en soubresauts comme
des ruches qui rêvent répandaient l'odeur trouble
du pain cru. Les sapinières ne bougeaient pas
plus que du fer; mais de sous elles sortaient des
éclats de voix sombres pareilles au bruit d'une
pierre qui tombe dans un lac profond. Les fayards
commencèrent à refléter les étoiles. Les bouleaux sentaient le sucre... Les frênes craquaient.
Les sureaux sifflotèrent. Une buse miaula. Les
saules fouettaient. Les églantiers, les néfliers du
sous-bois, les bardanes, les taillis de noisetiers,
les buissons d'aunes, les flaques de digitales, les
prés sauvages de paturin, d'oreilles d'âne, de
boule d'or, de fenouil, soudainement crevés de
tous les côtés des pistes, de voies, de foulées, de
bonds, de serpentements, de sauts et de courses
soupirèrent comme les bords d'un bassin qui se
renversent sous la poussée des eaux. On entendait se déchirer les tiges ligneuses de l'angélique.
L'odeur des champignons écrasés se souleva et
l'irritante poussière des œufs de fougères faisait
éternuer les bêtes en joie. Les grands mouvements
du nocturne firent flotter la nuit comme un drap
à l'étendoir.

La laie eut envie de manger de l'orchis vanillé.
Elle monta à petit trotton vers le plateau, se déga-
geant des arbres. Elle rencontra le mâle qui l'avait
couverte la veille, et il la suivit. Plus haut, elle
passa à côté d'un solitaire; il se dressa et la suivit.
Il craquait de toutes ses jointures. Malgré son
contentement passé, la laie répandait toujours son

parfum. Il était même devenu plus féroce. C'était
l'odeur d'une source de sang. Le solitaire qui était
extraordinairement fort d'épaules et de reins et
connaissait sa puissance, suivait de loin, tout
tremblant de la torture rouge que l'odeur mettait
en lui. Il s'arrêta et se vautra sur des pierres cou-
pantes sans cesser de renifler le flottement de la
piste d'odeur. Il se mordit la jambe jusqu'au sang.
Il lécha convulsivement sa blessure, forçant la plaie
de sa langue dure. Il hurla et sauta en avant.
Plus haut, comme elle coupait de biais à travers
de petits érables, la laie fit lever deux sangliots d'un
an et demi, déjà membrés. Elle les salua et se frotta
contre l'un et contre l'autre tout en écoutant de
ses petites oreilles pointues le pas du mâle derrière elle et en bas dessous le déboulé du solitaire
qui arrachait des enlacements de viornes. Elle
lécha le groin des sangliots et ils la suivirent
en grognant. Mais arrivés là-haut, comme ils
s'approchaient d'elle, et se dressaient sur leurs
pattes de derrière, elle les renversa d'un coup de
tête dans le ventre et paisiblement elle se mit
à charruer le carex, à déterrer les racines d'orchis et à manger. Quand les deux autres sangliers
arrivèrent, il y avait déjà la puissante odeur
de vanille de ces racines. Ils ne purent même pas
grogner de colère; la laie toute luisante de bave
les regarda, et déjà ils bavaient eux-mêmes du
désir de manger; ils se mirent à charruer le carex
à pleines défenses, à déterrer, à manger, à grogner
comme faisaient les deux sangliots et la laie.
Bientôt un large espace de prairie fut écorché et
l'odeur de la terre noire fuma, se mélangeant à
l'irritant parfum de la vanille. Le louche fumet
du sang des vers de terre s'attachait aux pieds pié-

tinants des sangliers et, la gueule ruisselante de
bave et de parfum, ils jouissaient de fouler la
vendange du sang et de mâcher en même temps
cette céleste odeur si forte qu'elle éclatait en
éclairs sous leurs dents. Peu à peu une ivresse
pareille au gonflement lunaire de la mer balança
les sangliers. Elle semblait les soulever par-dessous
le ventre; ils flottaient, ils perdaient pied, ils
pataugeaient, dressant éperdument leurs groins
vers le ciel, ils gémissaient délicieusement, puis
ils tombaient sur la terre où la marée des ténèbres
vanillées les roulait. Ils se mélangeaient et
chaque fois que la chair d'un autre mâle passait
à portée des dents, ils mordaient sauvagement de
toutes leurs forces. Alors, ils éclaboussaient de la
terre partout, se soulevant d'un bond en hurlant,
hérissés, jetés les uns sur les autres, arrêtés
subitement par la folle odeur de la vanille et
l'odeur de la laie. Car elle était dans une pleine
odeur, maintenant terrible. Celle des jours passés
n'était rien. Les racines enivrantes travaillaient
ce ventre. Elle se jetait sur les mâles et mordait;
mais dans le mélange des bêtes, quand elles tombaient toutes ensemble sur la terre et en pleine
furie de mordre, si c'était la chair de la laie qui se
mettait dans leur gueule, les mâles la refusaient,
la jetaient de côté en gémissant et comme si le
comble de l'ivresse les tirait alors tout d'un coup
angéliquement des profondeurs de la bataille, ils
se dressaient sur leurs pattes et restaient là, stupé-
fiés. Ils éternuaient et, délivrés, ils étaient à nouveau roulés sur la terre avec les autres.

A un moment, la laie se dressa sur ses pattes de
derrière. Elle eut un roucoulement que le solitaire
comprit. Il se boula un peu par côté dans ses

épaules. Il se jeta sur les sangliots. Il ne s'agissait
plus de mordre. Il fallait tuer. Il était plus savant
que tous parce qu'il vivait seul; il connaissait le
sens profond du nocturne. Il renversa le sangliot
encore presque paisiblement. L'autre rageait contre
une jouissance qui l'écarquillait comme une fleur.
Il se coucha ouvrant les pattes sur son ventre. C'est
là que le solitaire planta ses défenses d'un coup
dans lequel il poussa de toutes ses épaules et il
déchira de bas en haut. Le hurlement frappa les
arbres, le plat des prés, les échos, le profond des
vallons et les bêtes jaillissaient de tous les côtés.
Le solitaire entra son groin dans le déchirement
du ventre et pendant qu'il poussait avec sa tête
pour fendre la peau, il mâcha férocement les tripes,
le ventre et le cœur qui lui éclata dans la bouche.
Le silence était revenu. Les hêtres frottaient
doucement leurs grands feuillages sur le sable de
la nuit. L'autre sangliot s'était relevé, réveillé et
il galopait vers le bois. Loin, plus bas, il s'arrêta,
écouta, puis l'ivresse le reprenant, il écarta lentement ses cuisses tremblantes et il frotta son ventre
sur la terre en gémissant. L'autre mâle s'était
dressé. Il avait fait front dans l'ombre. A l'odeur
de la vanille se mêlait maintenant l'odeur du sang.
Il y avait aussi le parfum du ventre crevé. La laie
et le solitaire semblaient changés en pierre dans
les ténèbres. Sur l'endroit même où les trois bêtes
immobiles se tenaient, les grillons s'étaient mis à
chanter. Pas à pas, le sanglier se retira. Il reculait
à petits pas raides. Enfin il tourna d'un bond et
s'enfuit, crevant tout de suite des taillis de framboisiers sauvages. Le solitaire avait la hure toute
poisseuse de sang. Il se léchait. Il sentit qu'une
autre langue s'était mise à lui lécher les yeux, lui

lécher les poils très sensibles qui descendaient vers
ses oreilles.

De ce temps, Orion avait allongé tout son corps
dans la pleine nuit et le cheval approchait de la
maison. Il avait senti au-dessus de lui dans les
rochers l'odeur du château : de la vieille paille aigre.
Il trouva dans le chemin des traces de pas à odeur
familière. Il les renifla de tous les côtés, traversant
la route pour les suivre. De temps en temps, il
trouvait dans le talus des touffes de véronique qu'il
arrachait du coin des babines mais qu'il ne pouvait pas mâcher à cause du mors. Il entendait l'épanouissement des arbres et le bruit des rameaux qui
s'étalaient sur le sable de la nuit, se repliaient et se
redéployaient lentement sans cesse comme la frange
de la mer sur les plages. De temps en temps, il dor-
mait. C'était une joie fraîche; il s'en réveillait tout
d'un coup et se trouvait arrêté en travers de la route.
Il dut ainsi dépasser l'embranchement du chemin.
Il avait senti les aubépines vertes devant lui; il se
réveilla et les sentit derrière lui. Mais devant il y en
avait d'autres également; il marcha un peu plus
vite; la tête de Père frappa sur le plancher de la charrette. Il chercha le chemin. C'était un talus avec des
saxifrages, il mangea. Il avait réussi à pousser le
mors avec sa langue et à le mettre un peu par
côté. Il dormit un petit moment le nez dans l'herbe.
Il se réveilla et la figure luisante des étoiles l'effraya. La voie lactée était à hauteur d'homme. Il
rua; il donna un coup de reins; la tête de Père frappa
sur le plancher de la charrette. Il commença à
trotter, mais le chemin montait, il se remit au
pas. Il sentait que de chaque côté du chemin de
souples étendues de terre s'élargissaient comme
des ailes. La voie lactée était remontée dans

sa hauteur. A mesure que le chemin s'élevait, le
cheval émergeait de plus en plus dans le ciel. Il
arriva sur un endroit presque plat; il avait maintenant du ciel même autour de ses jambes. Il
sentait une prairie de carex et une odeur de
vanille très attirante. Il entra dans le pré. Il
avait une grosse étoile rouge juste devant lui. Les
roues passèrent sur un petit talus. La tête de
Père frappa sur le plancher de la charrette. Ces
plantes avaient une odeur réconfortante. Il y avait
aussi cette liberté nocturne et l'étonnement de
relever la jambe et de voir des étoiles sous la
jambe. L'air était vif. Il entendait le vent en train
de brasser des espaces considérables. Chaque fois
que le harnais se soulevait, l'air vif frottait
délicieusement l'endroit que le cuir avait râpé et
faisait suer. Il s'avança dans la prairie. Il sentait
que le sous-sol était dur et fait de pierre. Il pouvait
un peu manger. Il râpa quelques plantes de carex
et soudain se trouva sous sa langue une sorte de
fleur dure un peu bubelonnée qu'il fit remonter
sous ses dents. Il sentit dans sa bouche s'écraser
l'odeur de la vanille. Il resta un bon moment
immobile et heureux. Puis il se mit à chercher
la fleur avec impatience. Assez souvent elle lui
frappa le nez et il la mangea. Chaque fois, il
était tellement extasié qu'il relevait instinctivement
la tête et tendait le cou pour que le goût glisse
plus vite le long de son gosier. Chaque fois il
avait la grosse étoile rouge devant les yeux et, à
côté, une autre, bleue, plus petite. Il ne vit plus
que ces deux-là. Le reste du ciel était comme la
vieille porte de l'étable, crevée de trous et derrière
laquelle il y avait le soleil. Au contraire, à force de
regarder les deux étoiles, la grosse et la petite, et

de les regarder pendant que le goût de vanille
enivrait, il commença à voir là-dedans quelque
chose de nouveau et il pointa les oreilles contre.
En même temps, il se remplissait de vanille. Il n'osa
plus regarder les deux étoiles. Il s'attendait à ce
que quelque chose sorte de là-dedans. Il clignait
du coin de l'œil, il remuait sans cesse les oreilles;
il soufflait bruyamment, il était parcouru de
frissons et, brusquement, il fit un écart des quatre
pieds : la petite étoile à côté de la grosse venait de
lui découvrir une sorte de profondeur. Il la refusa
dans un dégoût de son poitrail, de son cou, et
de sa tête renversée jusqu'à se frapper contre
le brancard. Il recula en éternuant. Il essaya de
se cabrer. Il tourna et commença à trotter sur
le plateau. La tête de Père frappait sourdement
contre le plancher de la charrette. Il rencontra des
arbres et il fit devant eux un nouvel écart. Enfin,
paisiblement, il longea la lisière. Il était à ce
moment-là à flanc de coteau, la roue droite plus
haute que la roue gauche et, peu à peu, le poids
de Père se mit à glisser sur le plancher de la
charrette. Il vint se tasser contre la ridelle
gauche. C'était un très gros poids. Le cheval s'arrêta. Il n'y avait pas de bruit, à peine dans les
feuillages un léger grésillement continu comme la
chute d'une pluie très fine. Le cheval s'endormit.
La forte nourriture qu'il avait mangée le travail-
lait dans son sommeil. Il se secouait en dormant,
et il gémissait, et plusieurs fois il fit le geste d'écar-
ter de la tête comme si le ciel était devenu un
obstacle et qu'il y soit lancé contre. A la fin, il
s'éveilla et il essaya de se reconnaître en reniflant
de droite et de gauche. C'est à ce moment-là qu'il
sentit l'odeur de Père. Il y avait alors sept heures

que Père était mort. Très bas, au fond de l'est, par-
delà de hautes montagnes, les alouettes avaient
déjà commencé à chanter. Père faisait tenir ses pantalons avec une ceinture de cuir; à l'endroit où elle
serrait, le ventre avait déjà noirci et il sentait.
Le cheval hennit. Il écouta son cri solitaire partir
vers les vallons profonds. La solitude est naturelle.
L'ivresse de la vanille avait arraché du cheval
toutes les étables où il avait été renfermé. Il avait
retrouvé le jeu commencé près de la jument pou-
linière. Il recommença à crier et il écouta encore
tous les dévalements de son cri dans les échos. Il
entendit toute la composition du pays autour
de lui. Il entendit les coteaux, les collines, et
les premiers escarpements des montagnes. Il entendit les vallons et dans les endroits silencieux il
entendit les vallées et les petites plaines qu'il
avait traversées tout le jour passé. Il entendit les
quelques murs de maisons du haut-pays, par là-bas,
au-delà de la forêt. Il avait senti les arbres, il
entendait les feuillages s'épanouir et se refermer
sur les plages de la nuit. Il appela encore. S'il
avait été nu et libre, il serait venu renifler l'odeur
de Père, puis, il se serait dressé, il aurait appuyé
ses sabots de devant contre le tronc du hêtre et il
aurait mangé ces feuilles luisantes sur lesquelles
s'éteignait maintenant le brasillement de la nuit.
Il se remit en marche. Il montait. Le poids de
Père glissa vers l'arrière de la charrette et fit relever les brancards. A chaque soubresaut des roues,
l'odeur de la mort sautait tout épaisse. Déjà à
travers les ténèbres usées, des formes apparaissaient.
Le cheval montant vers le plateau marchait au pas
à travers les genévriers. Les branches caressaient
les ridelles et fouettaient derrière la charrette

éparpillant l'odeur de la mort. Une chevêche pâle
et souple flotta à travers la nuit et cria, puis
posée sur un sapin, elle se mit à luire de ses
deux yeux d'or. Le monde sortait peu à peu de la
nuit. Il n'était pas possible d'atteindre l'étoile
rouge et les profondeurs marquées par l'étoile bleue
même en continuant ainsi de monter gaillardement.
La tête de Père frappait contre le plancher de la
charrette. D'instant en instant, les formes de la
vie se construisaient dans l'ombre. Les arbres
n'étaient pas encore verts, mais ils ne déferlaient
plus contre les rivages du ciel. Ils s'éloignaient du
ciel, on commençait à voir autour d'eux les
espaces qui les en séparaient. Ils étaient tout
simplement tout seuls à leur place. Les étoiles
s'éteignaient. Les collines et les montagnes s'entassaient à leur place, là-bas devant. L'étoile
bleue disparut sous la terre. L'étoile rouge y
descendait. A travers les ténèbres usées on commençait à voir des quantités de chemins et d'avenues
de tous les côtés, dans les vallons, dans les plis des
collines, dans l'éreintement des montagnes. On
pouvait passer partout. Seul, le ciel s'était soulevé :
il n'était plus devant, mais au-dessus. Et on le
voyait tout à fait séparé. Il tranchait avec la
terre. Sur le tranchant qui s'en allait flotter en
ligne noire dans les lointains verdissants, les
arbres se découpaient, les herbes ondulaient
dans le mouvement des pistes de bête et, enfin,
deux grosses masses grognantes se soulevèrent
presque sous les pieds du cheval. Elles avaient
une odeur sauvage. Il tourna bride et galopa vers
la vallée dans la descente. Père frappait de partout contre le plancher de la charrette. C'est à
ce moment-là que son ventre creva et coula dans

son linge. Le solitaire et la laie écoutèrent longtemps le bruit de la charrette descendant les vallons. La forêt de sapins décapuchonna toutes
ses têtes vertes : et maintenant, silence, le jour
se lève.

6

La Bioque fit le tour des fermes. Il y en a cinq :
La Coudonelle, La Julienne, la Sahune, la Première et l'Orgueilleuse. Elle allait de son petit
pas tranquille; elle regardait les oiseaux, elle cueil-
lait des fleurs. Elle arrivait, elle cachait son
bouquet dans l'herbe, elle entrait et elle disait :
« Père, de la Bérarde, est mort. Je viens vous le
dire. Il faut peut-être aussi qu'un de vos hommes, si
vous en avez, vienne avec nous pour faire le
trou. » Puis elle racontait l'histoire. Mais avant,
on lui avait dit : « Assieds-toi; bois. » Elle se posait
sur le bord de la chaise, buvait du bout de la
lèvre, se forçait à tousser et mettait la main
devant la bouche puisque, tout compte fait, elle
était en visite. Après, elle se dressait : « Voilà. »
Naturellement, elle avait attendu qu'on lui
demande : « De quoi il est mort et comment c'est-
il arrivé? »

Elle disait : « Voilà! Le Marquis... — Quel Marquis? — L'oncle — Ah! bon. — Alors, voilà. L'oncle,
ce matin, est sorti. Il est revenu et il m'a dit :
« C'est tout ouvert à la Bérarde. » Mais, n'est-ce
pas, disait-elle, ça n'était pas extraordinaire que
ce soit ouvert, si on fait le ménage (et elle regarda
les femmes qui se regardèrent entre elles). Il est
revenu après et il m'a dit : « Il n'y a plus personne

à la Bérarde. On n'a pas donné à la chèvre. » Il
avait poussé la porte de la chambre et il avait vu
qu'on avait vidé les armoires. Je lui ai dit : « Ne
vous en faites pas, alors, Mme Catherine est
partie. »

A cet endroit-là, dans chacune des cinq fermes,
on l'arrêta et on lui dit : « Quelle Mme Catherine? — La femme de Chon. — Drôle de Madame! »
Mais chaque fois, La Bioque pinça les lèvres et
s'arrêta de parler. Et comme ça les cinq fermes
furent laissées dans leur curiosité, jusqu'à ce
qu'elle recommence à dire, en pesant sur les mots :
« Mme Catherine. — Oui. — Elle est partie. Elle a
ramassé ses cliques et ses claques. — Alors, lui
disait-on, elle a laissé Chon? — Je vous crois qu'elle
l'a laissé », disait-elle. Elle continuait : « L'oncle
n'est plus venu jusque tout à l'heure. Et quand il
est arrivé, il était fatigué. Il m'a dit : " Dépêche-
toi et va annoncer à tous que Père est mort. " » Il
l'avait trouvé mort sur sa charrette. On lui demanda
l'endroit où il l'avait trouvé. Elle le dit : c'était
là-haut près de la forêt, presque au marécage. S'il
l'avait ramené? Elle dit : « vous pensez bien qu'il
a tout ramené ». Et où devait-on aller pour l'enterrer? Mais bien sûr à la Bérarde, où voulez-vous
que ce soit. « Ah! et maintenant, dit-elle, il faut
que je file, il faut que j'aille le dire partout. »

Elle sortait. Elle disait : « Et surtout, tâchez de
nous envoyer un homme s'il vous en reste pour nous
aider à faire le trou. » Elle reprenait son bouquet
là où elle l'avait caché; et parlant seule, elle se
disait à haute voix : « Et maintenant, quelle est
la route que je prends? Bon, je vais passer par les
saules », et elle repartait, tranquille, en regardant
si elle ne trouvait pas encore quelques jolies fleurs.

Tout le temps de la route, elle arrangeait sa petite cérémonie. C'est seulement à l'Orgueilleuse qu'elle la changea un tout petit peu. Il y avait là un jeune garçon de quinze ans qu'elle n'aimait pas. Il ne lui avait rien fait. Elle ne l'avait vu qu'une fois, de loin, mais elle ne l'aimait pas. Alors, en partant, comme il était sur le pas de la porte, avec les femmes, un peu faraud de se sentir le seul homme de la maison, elle se nettoya soigneusement la gorge pour avoir une voix douce et elle dit : « Aux autres fermes, j'ai demandé qu'on nous prête quelqu'un pour faire le trou; mais ici, ne vous dérangez pas, puisque vous n'avez pas d'homme. » Et elle tourna raide, le regardant du coin de l'œil.

L'oncle avait coupé à travers champs pour tomber dans la tournée du facteur. Il l'avait prié de prévenir le curé de Saint-Robert.

— Faites un petit détour, je vous prie, avait-il dit, et demandez à mon cher ami le curé de Saint-Robert qu'il vienne pour la cérémonie mortuaire.

— Lequel, avait dit le facteur, le petit ou le grand?

— Oh! le grand, avait dit le Marquis.

Le lendemain matin, il se leva de bonne heure et il vint s'asseoir au bord du chemin. Le curé de Saint-Robert ne tarda pas à arriver. On l'entendait de loin chanter à travers champs avec une admirable voix de basse.

— Tu n'as plus ta petite guimbarde? lui demanda le Marquis.

— Prince, dit le curé, tu fais tort à ton jugement : en plein air, tu dois me dire vous et Monseigneur et montrer ainsi que les plus grands se courbent sous mon saint ministère. Si, j'ai toujours ma petite guimbarde mais je suis venu par la colline et je l'ai laissée dans les fonds de

Crestet. Elle n'a pas voulu remonter la pente.

C'était une sorte de vieux colosse entièrement brûlé et d'une maigreur très coupante. Mais il lui restait des ossements athlétiques formidables et sa soutane jouait sur lui en plats et en plis comme sur une armure.

— As-tu des nouvelles de notre aimable tante? dit-il.

— Oui, dit le Marquis. J'ai reçu d'elle, hier, la lettre classique que les femmes de notre parentage ont dû écrire à chaque catastrophe de l'histoire depuis Charles Quint à nos jours.

— Tu veux dire qu'elle a demandé à rentrer dans ses murs?

— Oui. Si les choses vont mal, dit-elle, elle quittera Avignon pour se réfugier ici.

— Et pas un mot pour Monseigneur? La frousse lui fait-elle oublier que son neveu bien-aimé est un fonctionnaire officiel des dernières ressources?

— Non pas, comme tu penses. Il y a tout le dernier paragraphe pour toi. Elle y dit textuellement que sa plus grande sauvegarde sera d'être ici à côté de Monseigneur, qui tient les hommes sous sa juridiction.

— Oui, ils sont sous ma juridiction *ad putorem usque,* jusqu'à ce qu'ils puent. Ce qui signifie qu'ils ne m'appartiennent jamais : ils puent dès qu'ils naissent.

— Je vois que les saules de Saint-Robert t'ont rendu ton agréable aménité. Tu regardes enfin les hommes avec une lumineuse indulgence.

— Ce n'est pas leur dernière comédie qui les fera remonter dans mon estime. Et quel âge a maintenant ce glorieux débris?

— Notre mère aurait cent ans. Elle doit en avoir

quatre-vingt-quinze. Pourquoi me regardes-tu de
cette façon?

— J'essaye de retrouver dans ton visage le fameux
rictus cruel des R. d'A... La gueule de brochet,
comme disent les chroniques. Je ne vois qu'une
toute petite lèvre...

— Avec probablement de la poudre de riz, hein?
Je me suis en effet rasé ce matin; pour toi d'ailleurs,
et poudré, parce que c'est ma passion. Je me fais
venir des boîtes de poudre de riz de chez l'épicière
de Saint-Martin. Cette fois-ci, elle est à l'hélio-
trope. Si, quand tu es arrivé, tu m'avais embrassé,
comme il se doit pour un cadet — et d'Église,
ajouta-t-il en levant son doigt blanc —, tu l'aurais
senti. Mais rassure-toi, tu es tout à fait le R. d'A...
des chroniques. Toi, on t'appellera Arsène le Dévo-
rateur. Tu es le brochet des eaux de l'Église; tu
émerges des saints abîmes avec une solide férocité...

— Je suis l'esprit, mon pauvre vieux, je suis
l'esprit, voilà tout. Que voulez-vous, vous autres,
chefs de maison, vous vous débarrassez des cadets
en les fourrant au chaudron. Ils s'y raffinent, mon
ami. Et, en parlant de raffineries, qu'est-ce que la
République a fait de notre jeune neveu?

— Oh! c'est le grand amour, elle ne peut pas
se passer de lui. Elle l'a rappelé le premier jour
de la mobilisation. Il est parti avant-hier soir.

— Le voilà embringué dans les armées de Valmy.

— Surveille ton vocabulaire, Monseigneur. Un
évêque, même en disgrâce, ne dit pas embringué :
il dit embrigadé.

— Si tu vas au fond des choses, il ne dit même
pas : embrigadé. Il dit : nous sommes tous dans
les mains du Seigneur — il ouvrit en même temps
ses grands bras de géant — et il insiste sur tous.

Je connais mon métier. Et, à propos, si on s'occupait de ton vieux bonhomme?

— Ne te fatigue pas, il était trop pourri pour
qu'on le garde. Il a dû mourir sur la charrette et
il a été trimbalé toute la nuit par le cheval qui
s'est perdu. Je l'ai trouvé hier matin à la lisière
des fayards. Le soir venu, il a fallu le mettre dans
le trou tout de suite parce que nous n'avions pas
de planches pour la bière et qu'il était seulement
roulé dans son linceul. C'est à la fin qu'on a pensé
à l'enfermer dans un pétrin. Mais on a eu beau
faire, il était impossible qu'on le conserve à tes
bénédictions. Il montrait trop furieusement qu'il
ne t'appartenait plus. J'ai cependant pensé que
tu pourrais quand même venir un peu ici ce matin
et l'absoudre gentiment. Je ne crois pas que l'on
comparaisse pendant la nuit. Tu sais que c'est une
idée à laquelle je tiens, je te l'ai assez expliquée.
S'il est devant Dieu, il n'y est donc que depuis
quelques heures. Peut-être même s'est-il attardé
le long de quelque couloir car il ne marchait pas
vite, il était très curieux des choses, et les anges
doivent l'intéresser. De toute façon, s'il est entré
au tribunal, ce n'est pas une affaire qui se bâcle,
tu as encore le temps d'arriver comme avocat.

Il se dressa et s'épousseta le fond de culotte.

— J'imagine, dit-il, que ton sacerdoce ne s'ef-
frayera pas d'un bosquet de coudriers et d'un
érable. C'est dans le bosquet au pied de l'érable
que nous l'avons enterré. Il n'est pas en terre bénite,
mais c'est parce que nous n'en avons pas.

— Toute la terre est bénie, dit le curé. Et rien ne
l'est, ajouta-t-il d'une voix forte. Dieu me pardonne, dit-il, en prenant le Marquis dans ses grands
bras, quand je t'écoute, tu me donnes tellement

envie de te contredire que tu me ferais papelar-
der comme les autres. Tu le fais exprès et tu es
ravi. Mais j'ai trop travaillé à obtenir ma disgrâce, je ne vais pas maintenant en abdiquer les
avantages. Allons, viens. Avec ta poudre de riz
et tes petits airs doux, tu es plus gros brochet que
moi, frère aîné. Entre parenthèses, ta simple idée
de la non-comparution des âmes pendant la nuit
peut être à l'origine d'un schisme dangereux. Je
te préviens. Ne crois pas que je sois aveugle. Tu
es une sorte d'orgeat corrosif.

La matinée gonflée d'or et de soleil s'arrondis-
sait de plus en plus haut et blanchissait le bleu
du ciel. Les deux hommes suivaient la crête d'un
hermas de bruyère qui descendait vers l'érable.
Ils pouvaient voir sous eux tout le pays hérissé
de rayons glorieux. Les étincellements de la rosée
faisaient couler le long de l'herbe la plus mince
des ombres d'un violet presque noir et la balle
mûre des graminées sauvages plus blonde que
la lumière se renversait en glacis éblouissant.

— Est-ce que tu prends toujours autant de plaisir avec tes oiseaux?

— De plus en plus. J'y mets toute la rage silen-
cieuse que tu emploies, toi, à composer la perfection de ta solitude, de ta pauvreté, de ton éloigne-
ment des grandeurs.

— Nous voilà conservés comme de vieux arbres,
dit le curé. Regarde-nous! Va te mettre à côté du
chemin où nous passons et regarde-nous passer
tous les deux avec notre pas tranquille et le temps
que nous avons pour profiter de ce long matin.
Habitués à la lenteur et à la patience, frère, tu es
plus jeune que jamais; et moi, le monde ne m'a
jamais été plus facile.

— Oui. Voilà plus de vingt ans que nous vivons comme Robinson Crusoé.

— Tu veux dire dans une île et par industrie? Oh! non, frère; ce dans quoi nous vivons, toi et moi, flotte et nous emporte. Ne sens-tu pas que cela obéit à quelque gouvernail? Que, par moments, la barre soit rétive et plus dure que le roc, je te l'accorde, mais c'est que le plus grand pilote s'occupe alors de la route. Ne sens-tu pas qu'une aile, qu'une plume nouvelle, tout ce que tu découvres alors dans les gésiers, ces petits bouts de papier où tu écris le poème des oiseaux te transportent sans dommage à travers toutes les batailles du monde?

— Si, je le sens bien.

— Frère, il s'agit là d'autre chose que d'un charpentier démerdard. Ce n'est pas ici la Chanson de Roland du système D. C'est l'arche, dont il a été dit : « La fin de toute chair est venue devant moi. Car la terre est pleine de violence. Je vais les détruire ainsi que la terre. Fais-toi une arche de bois résineux. » Quand j'ai quitté ce qu'ils appellent le Palais épiscopal pour venir ici dans cette petite cure de Saint-Robert où je n'ai même pas le droit de dire la messe, ils n'ont rien compris. Tante Arsénie est venue noblement me rappeler qu'elle était ma marraine. J'ai dû écouter le long chapelet de la gloire de notre maison. Elle était ivre comme une poule qui parle à son œuf et sa plus belle image oratoire a été cette sublime exclamation : « Tu es le bûcheron de notre arbre généalogique. » J'ai trouvé ça magnifique, et je le lui ai dit. Malgré qu'elle soit en train de tout irriter autour de moi : en plus de sa voix, elle avait cette robe de faille, tu sais, qui se crispe sur l'étoffe

des fauteuils. On m'a fait chef de trop belles vérités, lui ai-je dit. Si elles sont bonnes pour les
autres, elles sont bonnes pour moi. Et ne vous
attendez pas, ma tante, à ce que je vous expose
brillamment les raisons pour lesquelles, comme
vous dites si bien « je jette la mitre aux orties ».
J'ai souvent parlé du royaume des cieux et tout
ce que j'ai à vous dire, c'est qu'à force d'en parler
j'en suis arrivé à ne plus pouvoir vivre un jour
de plus sans que ce royaume m'appartienne. C'est
pourquoi je commence dès aujourd'hui, ma tante,
avec vous, à être pauvre en esprit. Vous voulez
un Monseigneur – Tonnerre de Dieu! – je n'ai
pas dit Tonnerre de Dieu et d'ailleurs quel mal
y a-t-il à proclamer ainsi cette incontestable vérité,
le tonnerre est à Dieu, tout le monde le sait, et
ce n'est pas un éclat de voix qui peut rendre ce
lieu commun péjoratif. – Vous voulez un Monseigneur, un noble, un aristocrate, vous avez tout
ça en plus grand que vous ne pouviez l'espérer.
C'est à Saint-Robert que je le serai vraiment, tout
ça, et dans des proportions telles que – et alors,
tu vas voir que moi aussi, je sais me servir de la
langue française – « l'insoutenable éclat de ma
grandeur vous aveuglant », j'ai continué comme
ça pendant trente secondes : pou pou pou pou pou
pou pou pou pou pou pou pou, la voix tombait
sur le mot « ombre », et ça finissait par l' « invi-
sibilité des choses saintes ». Elle en est restée assise
comme une lessive.

« Là où je suis, je le savais, j'ai défense d'écrire
et défense de parler. Ils ont mis aussi un petit cure-
ton blafard dans mes jambes. Quand il écrit au
grand vicaire, sa plume craque comme une ferme-
ture Éclair. Pour faire ses rapports, il s'installait

sur la table où je fais la cuisine. Ne t'inquiète pas, vieux frère, j'ai fait comme Amable d'A... à la bataille de Marignan. Je lui ai prêté mon grand bureau. Je lui ai dit : « Quand vous avez à travailler, mettez-vous donc à votre aise. C'est tellement désagréable, quand le papier est taché de graisse. » Il a eu un petit sourire gris tout plat. Je me suis dit : ça va faire une jaunisse foudroyante. Non, ils sont très costauds : ça n'en a fait qu'une tout à fait ordinaire. Moi, je m'assois dans le fauteuil près de la fenêtre. Je lui dis : « Est-ce que vous avez vu ce que je suis en train de lire? Et si tu le voyais tendre le cou! " Quoi donc? Que lisez-vous, Monseigneur? — Saint Thomas. — Ah! très bien, saint Thomas, dit-il. — Oui, dis-je, saint Thomas Becket. — Comment Becket? — Avec un K. " Ce ténébreux auguste est d'ailleurs parti hier soir, lui aussi. J'espère que la patrie en danger lui confiera une mitrailleuse. J'ai presque envie d'écrire son rapport moi-même, maintenant; qu'est-ce que tu en penses? On ne peut pas laisser le grand vicaire sans renseignements quand le dangereux brochet est libre. »

Ils marchaient dans la bruyère salée de rosée. Parfois le vent les serrait brusquement dans ses ailes.

— Je sais bien, continua-t-il, il n'y a pas un homme sur cent et même sur mille qui ait assez d'honnêteté envers soi-même — et envers les autres — pour abandonner comme je l'ai fait le faux pour le vrai. Il n'y en a pas beaucoup non plus, vieux frère, pour mettre comme toi tout l'espoir de leur vie à acquérir les vraies gloires du monde : la connaissance des oiseaux, des passions, ou n'importe quel secret magnifique de la création.

Connaître l'œuvre divine. C'est pourquoi ils
disent que nous sommes fous. C'est pourquoi
aujourd'hui, 3 septembre 1939, nous sommes seuls,
toi et moi, à déambuler paisiblement sur les hauteurs avec nos pauvres petites arches de Noé dont
personne ne veut. Ils se sont précipités tête première dans le déluge. Ma parole, ils sont même
joyeux parce qu'ils pataugent dans les premières
écumes et qu'ils croient que tout va se passer comme
ça en petite baignade. Attendons-nous à être déchi-
rés de hurlements quand ils perdront pied dans les
abîmes.

Le vent s'arrêta dans les arbres.

— Et le silence qui suivra, dit-il.

L'érable était seul au milieu d'un bosquet de
jeunes coudriers souples. Par-delà les branches
tendues aux larges feuilles s'élevait et retombait
le chevauchement bleu des montagnes. De la tombe
fraîche on dominait le dévalement des champs
comme une barque soulevée voit la pente de la
vague.

— Il n'a pas d'épitaphe, dit le Marquis et il n'aura
pas de marque.

— Sais-tu quelle est la meilleure pour le corps
de cet homme, dit le curé. C'est un poteau indi-
cateur des routes, avec des flèches qui montrent
tout l'entrecroisement des directions et les noms
d'ici : Saint-Nazaire-le-Désert, Bouvières, Armayon,
col de Tende; tant de kilomètres et, si tu veux, une
vraie inscription marquée dessus à la craie, à la
craie pour que le vent puisse bientôt l'effacer :
Ici est enfermée l'âme de... Comment s'appelait-il,
ton vieux bonhomme?

7

La Bioque avait englué quelques bâtonnets et les ayant mis au chaud sur le rocher plein de soleil, elle avait pris six alouettes. C'était la deuxième fois depuis quatre ans que Monseigneur venait manger au château. Entre-temps, elle l'avait vu trois fois à Saint-Robert, étant venue chaque fois en commission de la part du comte pour emprunter une pièce de cinq à dix francs. Elle aimait cet homme qui parlait, parlait et brusquement devenait lumineux. Dans le courant de la matinée, elle alla remuer les huches de la Bérarde. Elle y trouva du lard, elle y trouva bien d'autres choses qu'elle se promit de ne pas laisser perdre, mais ce qu'elle voulait précisément c'était du lard. Elle larda comme il faut ses alouettes nues et elle les mit dans un plat de terre. Elle avait un gratin d'orties fait à l'huile, et un bouilli d'escargots au thym, à la sarriette et à l'ail. Par bonheur, il y avait du pain.

— Regardez, Mademoiselle, ce que nous avons trouvé, dit le Marquis.

Il fouilla dans la poche de sa redingote, il en tira un oiseau gros deux fois comme un pigeon, mais habillé comme un prince éclatant avec du vert, du bleu roi et du rouge.

— Je le reconnais, dit-elle, vous en avez déjà un comme ça.

— Oui, dit-il, c'est en effet encore un rollier. Je me demande pourquoi on reste parfois vingt ans sans en voir et là, au même endroit, et en peu de temps, deux. Celui-là est encore vivant, dit-il,

il est seulement à bout de forces. Nous l'avons
trouvé sur la tombe de Père; j'imagine que la
terre fraîche avait attiré ses derniers efforts.

— Ne le tuons pas, dit-elle.

— Certainement non, dit le Marquis, celui que
j'ai me suffit, mais j'ai bien peur qu'il meure
sans nous.

— Donnez-le-moi, dit-elle. Je le ferai revivre.

Elle l'emporta dans son tablier.

— Elle en est capable, dit le Marquis.

— Elle l'a en effet placé sur son ventre comme
font toutes les femmes, dit Monseigneur.

— Il n'y a pas que de l'instinct chez elle, dit le
Marquis. On la sent assurée et solide, tout à fait
comme si elle savait avec certitude.

— Un homme de mon âge, dit Monseigneur, a
perdu l'illusion de la certitude.

— As-tu jamais vu un chien de chasse sur la
piste? dit le Marquis.

Monseigneur regarda les murs de la grande
maison morte.

— Tu lui parles fort gentiment, dit-il.

— Je fais mon possible, dit le Marquis. Je veux
que nous soyons séparés par un très grand respect
mutuel. Elle est affectueuse sans douceur et d'ici
un an ou deux, quand elle aura le corps d'une
femme, elle sera pour moi une effroyable ten-
tation.

Ils étaient montés au premier étage.

— Voilà donc la bauge, dit Monseigneur, que font
ces sacs pendus devant la fenêtre?

— Contre les avions, dit le Marquis. C'est la
Bioque qui a arrangé ça l'autre soir. Pas de
lumière dans la nuit. Nous sommes ici sur une
éminence, elle se verrait de loin.

On entendait le volettement de velours des chauves-souris battre contre le plafond.

— Cette odeur de porcherie héroïque est extraordinairement familiale, dit Monseigneur. La dernière fois où je suis venu ici, cela m'avait déjà donné une sorte d'ivresse historique, mais je constate que le bien-aimé neveu a encore embelli tout ça. Il y a vraiment ici, maintenant, une odeur terrible; elle parle de nous comme si on proclamait nos noms à la porte d'un tournoi. Si nous avions un blason odorant, ce serait un rejet de gueule sur champ de fumier écartelé d'étrons de chat. Ce petit-là est bien l'un des nôtres. Je dois reconnaître d'ailleurs que dans cet ordre d'idées il agit avec un très grand sens de la chose noble : le fumier de vache prédisposerait plutôt aux langueurs tendres, ce n'est pas une odeur de grande famille, mais cette fiente de chauve-souris est mieux dans notre manière : cela sent l'ange rebelle. Tu m'as demandé tout à l'heure si j'ai jamais vu un chien de chasse sur la piste. Et toi, as-tu jamais senti un colombier sauvage? Qu'y a-t-il de plus gracieux que la colombe? (A part ce sinistre roucoulement qu'elle a et qui peut noircir devant celui qui l'entend, la plus radieuse matinée de mai.) Oui, à part ça, si on y réfléchit, c'est d'ailleurs une indication. Qu'y a-t-il de plus gracieux que les colombes? Mais le colombier sent le fauve. Tes oiseaux, mon vieux frère, sont déjà des oiseaux apocalyptiques. Rien ne donne plus l'idée de l'arrivée de la vengeance de Dieu, par exemple, que le passage d'une grosse escouade d'oies sauvages. Tu as déjà dû te rendre compte de ça, toi. Je me souviens l'an dernier d'avoir été tranquillement assis au col de la Bohémienne, ayant

tout le pays étendu sous mes yeux, me disant...
Je me disais probablement des choses assez dures
et très justes sur les hommes qui habitaient par
là-bas dessous dans l'entrelacement des chemins
et tout d'un coup j'ai senti sur ma tête que le ciel
se bouleversait sous quelques énormes nageoires de
feutre. Je me suis dit : le voilà qui plonge des hauteurs de son trône vers nous, et mes épaules se sont
courbées et j'ai eu l'angoisse du châtiment dans mon
cœur et j'ai compris que pour haut que tu sois sur
terre, tu es toujours sous Dieu, et j'entendais le
tonnerre du fulgurant poisson céleste et cet
écroulement d'écailles, de plumes et de fruits qui
doit ensevelir le monde; quand rien ne se produi-
sant, sinon toujours cette même nage de feutre,
je relevais les yeux et je vis la plus belle escadre
d'oies sauvages que j'aie jamais vue de ma vie.
Imagine l'oiseau le plus bénévole, mets-en des
milliers dans le ciel, fais-en comme un enduit tout
noir devant le soleil, déjà tu as peur. Imagine qu'ils
plongent tous ensemble vers toi avec cette furie de
l'hirondelle et la terreur de la genèse te couchera
sur la terre plus mort que les morts. Alors que dire
de ces petits mammifères mamelus et volants, aux
ailes de peau, aux yeux de biche, dont les
longues oreilles sont comme des cornes, qui ont
des seins comme des femmes, qui ont du lait,
qui accouchent par le ventre, qui gardent leurs
petits abouchés à leur poitrine avec les gestes
glorieux des Madones de Léonard, qui ont des
dents pointues comme des aiguilles, qui mâchent
la viande, qui ont des lèvres, qui baisent, qui ont
une langue rouge, qui se lèchent, et qui, ayant
toutes ces divines prérogatives! volent, en même
temps, volent, volent gauchement comme par un

souvenir à moitié éteint! et dis-moi si à ce moment-
là tu ne te sens pas confondu dans les suites de
la rébellion des anges? L'odeur de ces créatures fou-
droyées convient parfaitement à une famille comme
la nôtre, et quoiqu'il s'agisse de fumier, je dois
dire que notre bien-aimé neveu a eu du goût.

— Il n'a pas choisi, dit le Marquis; il ne choisit
rien d'ailleurs. C'est un violent, d'une telle violence même, qu'il en est comme privé de souffle,
il reste immobile au milieu des choses parce qu'il
ne peut pas bondir de tous les côtés à la fois comme
il le voudrait.

— Les temps viennent, les temps viennent, dit
Monseigneur. Celui-là aussi est sur la piste, ne t'inquiète pas. A propos, à propos de ce que je vais dire,
relève-moi un peu ces sacs devant la fenêtre.
Qu'est-ce qu'il a fait de son tableau? Je pense qu'un
de ces jours il s'en fera une blouse ou un drap de
lit! Non, le voilà! il est toujours là. Tu sais que
c'est une peinture de Thadé Zuccharo. Qui a
nettoyé cette tête de femme? Tu sais ce que ça
représente?

— Une bataille.

— Non pas, LA BATAILLE! Cette femme-là, c'est
Éléonore. Sous sa crasse, elle est assise dans la
plus belle prairie qu'un Florentin ait jamais
peinte. Quand il est arrivé chez les de Boisserin,
ce tableau était à peu près propre, on pouvait
encore le voir. Où étais-tu, toi, quand ils nous l'ont
rendu? Oui, c'est Éléonore. Célèbre. Belle. Rem-
plaça la Capillo dans la chronique scandaleuse de
Venise vers 1563. Pas un sujet de conversation
pour un évêque; en tout cas pas pour un Monseigneur français, il te faudrait un ultramontain
pour te raconter ça. Ascétisme et morbidezza.

L'œil comme une amande à moitié ouverte et un tout petit bouillon de salive au coin de la lèvre. Impossible à un évêque français. Pas du tout le même genre que la Capillo d'ailleurs, pas d'histoires avec les grands ducs, les gouvernements, et tout le tralala, non, une vraie de R. d'A... comme toi et moi, seulement belle, seulement femme. Et puis très femme! Tu me comprends. Seigneur, pardonnez-moi tout ce que cet indigne frère aîné me force à dire, mais il faut bien que je l'instruise de l'histoire de notre maison. Que voulez-vous, il est toujours fourré avec vos oiseaux. Cette femme-là, c'est une authentique. Elle est beaucoup plus nôtre que Tante Arsénie, tu sais. Près de toi à un point que tu ne peux pas croire. Et de moi! Scandale! mais avec de la canaille. De la jeune et belle canaille. Enfants par-ci, par-là, on ne sait pas trop, plus ou moins morts ou vivants. Pont des Soupirs, couvent. Ah! voilà enfin un mot où je peux reprendre haleine. Elle en sort, naturellement. Un certain Pier Luigi de Farnèse. Mais Éléonore pas d'accord du tout! je ne mange pas de ce pain-là. Elle n'aime pas la noblesse. Elle a à ce moment un certain Cosimo Ghéri da Pistoia. Mais le Luigi « Comincie palpando à voler far piu desonesti atti che con femmine far si possano ». A moi, comte, deux mots : mort de Cosimo Ghéri, fuite d'Éléonore. Bien entendu : nuit, poignard, chevaux et, à l'aube, les remparts de la blanche Pistoia. Créneaux, guetteurs, portiers pas trop endormis, on lui ouvre, la voilà dans la ville du bien-aimé assassiné. La voilà surtout dans la ville où son père est capitaine de Jules II. Chéri de R. d'A... dit plus tard le sanglier de Pistoia. Il est là-haut. A cette tache rouge. C'est son cheval. Il avait un cheval rouge.

Elle se jette aux pieds de son père, en rugissant.
J'imagine que le Luigi qui l'avait pistée était
arrivé presque en même temps qu'elle et jouait à
la quintaine avec ses gens, dans les champs sous
les murs, en attendant qu'on ouvre les portes. Chéri,
qui n'avait pas encore gagné son surnom de sanglier à ce moment-là, était déjà célèbre parmi les
soldats par un effroyable fumet de bête fauve. Ils
se seraient fait tous tuer pour lui à cause de ça.
Et ils le firent d'ailleurs par la suite des choses.
L'héroïsme a parfois de singuliers moteurs. Quand
le capitaine arrivait dans la société de l'époque il
sentait déjà fort mauvais; c'était un massacre du
nez, et les soldats voyaient dans cette exagération
une arrogance, un mépris qui dénotaient une grande
bravoure. Ils l'auraient suivi presque chez le
diable; plus tard ils le suivirent d'ailleurs presque
chez le Pape. Éléonore aussi, paraît-il, répandait
ce qu'on appelait dans ce temps-là une « odeur
rousse ». Cela venait généralement d'un vœu, mais
tels que je nous connais, elle dut y mettre une
habileté particulière. Quatre ans après, le sanglier,
maître de presque toute la Toscane, faisait cam-
per sa cavalerie dans la cathédrale de Saint-Jacques,
menaçait Florence, habitait le Palais de la Sapienza
et, verrouillant la campagne avec des soldats
dévoués jusqu'à la mort, tenait tous les Farnèse
enfermés dans leurs murs, tremblants, comme des
moutons devant le loup. Et tout ça commença le
matin où il vengea sa fille au pont de la Bronia
dans cette bataille que tu vois — ou plutôt que
tu ne vois pas — là-dessus. Tu comprends, ce n'est
pas une bataille quelconque comme Cannes, les
Thermopyles, Waterloo, c'est LA BATAILLE, c'est
LA BATAILLE de notre Famille.

« Je dirai un *benedicite* un peu plus long pour que Dieu me pardonne tout ce que tu m'as fait raconter avec ta pressante insistance. »

Ils mangèrent devant la fenêtre. La Bioque mit le couvert, c'était la première fois qu'un couvert était mis au château avec assiettes, fourchettes, couteaux droits et verres; tout le matériel venait de la Bérarde. La Bioque regarda; qu'est-ce que mes hommes vont dire quand ils vont voir ça? Ils ne dirent rien; ils eurent l'air de trouver ça tout naturel. Le Marquis demanda seulement : « Pourquoi n'y a-t-il que deux couverts, Mademoiselle? Vous êtes de la famille. » (Oh! voilà une bonne parole! elle allait se répéter ça à haute voix en bas dans la salle de garde.) « C'est que je soigne l'oiseau (elle sentait qu'il fallait encore deux ou trois mots pour finir exactement, et elle les trouva). Excusez-moi », dit-elle.

— Reine de la vie. Et d'ici quelque temps, elle va marcher avec ce somptueux balancement des gitanes plantigrades. Un danger terrible, dit le Marquis.

— Je ne vois jamais de danger dans une femme, dit Monseigneur; c'est bon pour un prêtre ou pour un vieux garçon comme toi. La femme est simple, claire et logique. Elle va droit au but tout le temps et à travers tous les temps. Qu'est-ce que vous avez toujours à rôder autour de la cible; allez vous promener ailleurs, et vous ne risquerez rien. Non, je pense à autre chose. Je crois que le jeune homme pourra bientôt exercer ses talents héréditaires; et ça, vieux frère, je t'assure que ce sera plus émouvant que le dérochement de ta gitane.

— Tu as trop confiance en notre neveu.

— Je n'ai pas confiance du tout. Je me méfie au

contraire. Je suis d'une méfiance extraordinaire.
Mais je prédis en tenant compte de ce que je vois.
Nous entrons dans des temps passionnés et un être
vivant portant en lui la passion féroce...

— Hé là, comment le vois-tu? Suis-je aveugle? Tu
dois avoir dans l'œil une armure de chevalier
toute peinte; quand tu le regardes tu le recouvres
d'acier, tu ne le vois plus. Tu seras volé, petit
frère, c'est une limace dans une carapace de
homard. As-tu jamais vu cette espèce de menton
qu'il a — le nôtre d'ailleurs — et qui pend comme
une sacoche.

— Comme une sacoche! Ai-je le menton qui pend
comme une sacoche, moi? Et toi? Au lieu de tripoter
tout le temps tes oiseaux, touche-toi le menton,
rends-toi compte que ce n'est pas de la graisse et
de la bajoue, c'est un os, un os énorme comme
un étrier. Depuis longtemps, il mâche dans sa
bouche un silex plus gros que le poing et il est
prêt pour un assourdissant discours à la Démos-
thène.

— Il ne sait pas dire deux mots raisonnables à la
suite.

— Il fera des gestes. Ceux de notre sang ont
toujours fait des gestes.

— Il dort debout dans sa violence.

Monseigneur siffla.

— Ne siffle pas, tu vas faire venir la jeune fille.

— Pourquoi? C'est ta façon de l'appeler?

— Non, mais lui la siffle.

— Admirable découverte, dit Monseigneur, et il
regarda vers le tableau enfumé.

— Vous ne vous êtes jamais occupé de lui, dit
le Marquis; et moi, ajouta-t-il, je ne m'en occupe
guère; sauf le regarder du haut de ma fenêtre.

Essayer de retrouver quelques façons de notre
sœur Justine. Il a quelquefois son air, quand il
marche; ou s'il est surpris; vous me l'avez envoyé,
je lui ai tout cédé. Il n'est pas question de douaire,
mais je considère qu'il est chez lui, parce qu'il
est jeune, que je suis vieux, que j'ai ailleurs tout
ce qui peut intéresser le restant de ma vie. Je le lui
ai dit. J'avoue que sa façon de régler les rapports
entre le château et la ferme ont été entièrement
à ma convenance. Ce sont des choses que j'ai
vues de loin, mais sans les perdre de vue, et voilà
ce qui s'est passé. Il est allé voir Génin, le vieux
sur lequel tu as tout à l'heure étendu tes bénédictions, et il lui a dit : nourrissez-nous, c'est tout
ce qu'on vous demande; je comprenais tellement
bien cette chose pour moi-même que j'ai immédiatement pensé qu'il avait une passion particulière à laquelle il voulait pouvoir se donner tout
entier sans perdre son temps à surveiller des établissements de compte, et d'ailleurs, qu'est-ce que
tu veux établir des comptes sur cette terre ici. Tu
vois que j'abonde dans ton sens. Je me suis dit :
dans quoi va-t-il maintenant se jeter à corps
perdu? C'est ce que j'avais fait avant lui, donnant
tout pour m'enfermer dans mes oiseaux. J'aurais
tout compris, même la collection de timbres-poste.
Il se promena à grands pas dans le château. Il se
promena partout sans arrêt. Partout suivi d'un
haillonnement de chauves-souris. Et c'est tout ce
qu'il fait. Il n'y a pas un parquet ici sur lequel
il n'ait entrecroisé ses pas et ses traces. Je parie
qu'il se promène à quatre pattes dans les sous-
combles. Je ne parie pas, j'en suis sûr. Et c'est tout,
c'est absolument tout. Quand le fils du père Génin
est revenu, il est allé droit sur lui et tout de suite

ils ont été amis comme cul et chemise. C'est une de ses plus inconcevables facilités. Il n'est pas beau, nous ne sommes pas beaux, ni toi ni moi, les R. d'A... ne sont pas beaux, n'est-ce pas?

— Ça dépend comme tu l'entends.

— Je veux dire aimables... je veux dire sympathiques.

— Certes non!

— Il l'est encore moins que nous. Justine ne l'a pas fait seule. Il y a le Père, et son front large comme deux doigts et plein de bosses. Mais il a une facilité de se faire ami avec les gens... qui lui vient d'où? C'est une sorte de charme. Tu le vois aigre, coupant, non pas sanglier, mais loup et porc, ce qui est un peu différent; on aimerait peut-être, au milieu de tout ça, un œil vif, un œil noir, un regard d'aigle. Il a l'œil... De quelle couleur sont ses yeux? Tu ne le sais pas toi-même; je ne le sais pas non plus. Le sommeil qui vous regarde. Séduisant comme un cauchemar (tiens, il y a peut-être quelque chose dans ce que je viens de dire là), le fait est qu'il est comme un aimant. (Je suis aujourd'hui d'une lumineuse intelligence. Voilà le mot que je voulais : la violence et l'amour.) On ne sait pas pourquoi, mais le fait est qu'on se précipite sur lui et qu'on y reste collé.

— N'as-tu pas remarqué qu'il soit par exemple... bon, vieux frère?

— Bon? c'est si vague, on ne sait pas au juste ce que ça veut dire. Il n'est pas faible en tout cas.

— Alors n'as-tu pas remarqué qu'il soit par exemple... fidèle?

— Si, et précisément, c'est ce qui se passe chez lui. On le sent fidèle, attaché. Je suis sûr qu'il ne viendra jamais à l'idée de personne de douter de sa

fidélité. C'est son enseigne. C'est marqué; marqué
dans sa laideur, dans sa porcherie, dans... Tu as
parlé de bonté... Non, avec lui tout est particulier.
Le fils du père Génin; il s'appelle Clodion, on
l'appelle : Chon. Ils ont à peu près le même âge.
Il a sur cet homme une très grande influence. Je
suis sûr que ça ne vient pas d'une séduction ver-
bale; ils ne parlent jamais : ils s'engueulent! Il
l'a fait marier. Ça a été une histoire invraisemblable. Il voulait une fille, de... loin d'ici, une petite
ville. Ils sont allés la chercher. Il est allé la chercher, car Chon suivait, et je suis sûr qu'il n'aurait rien pu faire à lui tout seul. Ils l'ont ramenée
ici, et elle est restée ici, et ici, c'est triste, regarde!
quand ils ont été partis avant-hier soir, elle a fait
ses paquets et elle est partie tout de suite de son
côté, mais depuis plus de quatre ans, ils la gar-
daient, et elle n'était pas attachée; si elle avait
voulu partir avant, qui l'aurait empêchée? La jeune
fille en bas. Des gitanes qui campaient au col de la
Bohémienne avant de descendre vers la mer dorée;
je ne sais pas au juste à la suite de quel marché,
mais on la lui a laissée, et elle a voulu rester. Mais
enfin que fait-il dans la maison? Ces marches, ces
contremarches, ces allées-venues, j'ai cru qu'il
cherchait je ne sais pas quoi, moi, un trésor comme
dans les romans. Non, il passe, lentement; il se
promène, il écoute...

On entendit le vent frapper le mur puis tonner
en bas au fond du couloir.

— Tu as dit cent fois ce qu'il fallait pour me
donner raison, dit Monseigneur. Il attire parce
qu'il aime avec violence et qu'il est fidèle. Essaie
de te le représenter à la poursuite de quelque
chose qui le passionne. Aussitôt, moi, j'entends

comme une charge de cavaliers de fer; sais-tu ce
qu'il fait quand il se promène de tous les côtés
dans la maison?

— J'aimerais que tu me le dises; même si tu
inventes. Il me semble que si je peux mettre un
nom, n'importe lequel, sur ces promenades, je
serai rassuré.

— Alors, rassure-toi, il cherche ses raisons de
vivre. Il est de notre sang; mais il n'a pas d'oiseaux,
comme toi, et il n'est pas marié avec l'humilité,
comme moi. Or, il est aussi orgueilleux que toi et
moi. Nous, nous avons trouvé le moyen de satisfaire
notre orgueil; lui pas encore. Rappelle-toi les
temps que nous avons vécus jusqu'à maintenant;
que nous vivons encore aujourd'hui 3 septembre
1939 par la force acquise et aussi parce que tout
commence, mais que rien n'est encore commencé,
ni la guerre ni les suites de la guerre. Oui, souviens-toi, pourrais-je dire, du temps passé en
parlant de la semaine dernière. Il n'y avait plus ni
taillis ni forêt; je parle au moral; je parle de cette
contrée morale où les hommes, qu'ils le veuillent
ou non, sont obligés d'aller chercher des matières
plus nécessaires à leur vie que tous les pétroles
de l'univers. Tout était raclé, goudronné, aplati,
tiré droit, et là-dedans pour les besoins de l'ivresse,
il ne restait plus que la vitesse. On finissait par
mourir au milieu de formidables espaces chauves
et avant de mourir on avait été obligé d'y vivre.
S'il existait un Robin des bois, il pouvait à la
rigueur s'appeler « Robin », mais pas « des bois »,
« Robin des choux » ou « Robin des betteraves à
sucre »! C'est à peu près tout ce que les temps
lui permettaient d'être. La vie est plus belle
dans les bois, crois-moi (mais que vais-je dire, tu

le sais aussi bien que moi). Même si les loups
hurlent, il est meilleur de vivre là, dans la gloire
des arbres, le mystère des ombres, le bruit soyeux des
enchantements. Qu'est-ce que nous avons fait, toi
et moi, et probablement quelques autres encore :
nous avons habité nos forêts; nous nous sommes
fait des Champs-Élysées, invisibles pour les autres,
nous nous couchions dans d'admirables prairies,
quand les autres nous voyaient étendus sur le
plus rôti de leur désert — de leurs déserts munici-
paux — nous avions nos ruisseaux, nos poissons,
nos martins-pêcheurs, nos chants de rossignols,
nos pluies sur les feuilles, nos champignons, nos
sentiers pleins de détours. Voilà ce qui nous
permettait de vivre. Entends-tu maintenant ce qu'il
écoute, chaque fois que son pas fait du bruit
dans ces murs?

— Je ne le crois pas occupé de merveilles intérieures.

— Ai-je dit qu'il l'était? Comment est-il parti?

— A motocyclette, avec Chon.

— En croupe derrière l'autre? le tenant comme ça
par le corps, et puis : en avant cavalier?

— J'imagine.

— Avait-il un casque de cuir comme en mettent
parfois ceux qui montent sur ces engins?

— Il avait en effet un de ces casques de cuir.
Il aime cette coiffure; souvent il la met pour aller
à pied. Il s'en est acheté deux dans une foire.

— Deux? l'autre pour son acolyte.

— Oui, naturellement.

— As-tu jamais remarqué que celui-là mette aussi
son casque pour aller dans les bois?

— Certes, il le fait, et notamment l'hiver quand

il chasse, je l'ai vu souvent sortir du bois avec
sa tête casquée.

— Comme un soldat?

— Un étrange soldat alors, cela ne fait pas du tout
penser à la mobilisation générale, à l'armée de quelqu'un ou à l'armée de quelque chose. Cela donne
seulement l'idée d'un pouvoir et d'une force à la
fois personnelle et immense, surtout que dessous
le casque il y a ce visage paysan, immobile et
plat comme le front d'une poutre. Disons, si tu
veux, que c'est un symptôme lyrique.

Il écarta le feuillage des chênes et il sortit. Il
faut toujours craindre le moment où le paysan
casqué sort du bois.

— Je me demande quelle importance tu attaches
à ce casque?

— Pas tant que tu crois; mais exactement celle
qu'il a. L'important, c'est qu'il a été fourni par
notre neveu. Ce garçon a derrière lui des centaines
de grands-pères condottieri. C'est-à-dire des conducteurs. Des conducteurs d'hommes. Ils les condui-
saient où? Où les temps le demandaient : à la
guerre, au pillage, à la révolte, n'importe où, à ce
qui était dans l'air. Toi avec tes armées d'oiseaux,
toute cette formidable armée d'observations sur
les oiseaux; moi cherchant en réalité à mettre dans
ma main droite (il faut se voir tel qu'on est) cette
humilité qui est l'arme la plus puissante du monde,
nous sommes des condottieri. Des condottieri de
rêve, mais les seuls que les temps passés (je parle
de la semaine dernière) permettaient d'être. Non,
je ne le crois pas occupé de merveilles intérieures.
Sais-tu pourquoi on l'a mis à la porte du lycée
d'Aix? Il avait séduit le concierge, un ancien
sergent de la coloniale. De cette façon il sortait

quand il voulait. Il n'est pas allé une seule fois
au café. L'enquête du conseil de discipline l'a établi. Il allait dans une ruelle artisanale, chez un
cordonnier d'abord, qui a dit : « Oui, il venait
chez moi, il s'asseyait près de l'établi et il me
regardait travailler; chez un menuisier, où il faisait pareil, chez un charron. On a pu juste retenir
qu'il était entré une fois dans un bar, et c'était
pour faire la connaissance d'un maréchal-ferrant.
Ne crois pas que ce soit pour apprendre un métier
qu'il fréquentait ces gens-là. C'est par désir de
choses plus subtiles, c'est le goût des entreprises
individuelles qui le menait devant le travail des
artisans. Tous ses parents ont été des artisans
guerriers. Ils tenaient des boutiques de guerre
et non pas des usines comme celle qui vient d'ouvrir ses portes avant-hier et où les soldats vont
travailler à la chaîne; tu verras. Comprends-tu,
maintenant ce qu'il cherche dans ces couloirs. Ce
qui le faisait s'évader du lycée d'Aix. Ce qui le
renferme ici, dans cet endroit qui a l'odeur de
son métier naturel?

« Je vois à tes yeux que tu te fiches de moi.
Patience. Les temps viennent. Personne n'est plus
bête en histoire tout court, que les savants en histoire naturelle. Veux-tu que je retourne à mon
casque. Dès qu'il en a vu un, le seul que l'on pouvait vendre sur les foires aux temps passés de la
semaine dernière, il l'a pris et se l'est mis sur la
tête. Voilà le symptôme. Purement lyrique pour
l'instant. Attends. Mais quand il en a acheté un
deuxième pour l'homme qu'il s'était attaché, il
y avait déjà dans sa tête une petite bouffée déli-
rante. La guerre d'avant-hier n'était pas déclarée.
Et, dans cette contrée où nous vivions alors, sans

taillis, ni bois pour les Robins, il a, à proprement
parler, déliré pendant une minute devant cette
caisse de casques. Les morts avaient saisi le vif,
il s'est vu comme ses ancêtres, le propriétaire d'une
caisse d'hommes casqués avec lesquels il pouvait
enfin ouvrir boutique de guerre, ou même s'il s'est
simplement dit : « Je vais faire un cadeau à un
copain. » Beau cadeau à faire à un copain, ce
casque avec lequel l'autre maintenant se promène
dans les bois et en sort avec son front de bélier
ferré.

— C'est tout bonnement que le casque a des
oreillettes et que c'est commode quand il fait froid.

— Tu cherches à me faire blasphémer. Il n'est
pas possible que tu sois naturellement aveugle
à ce point. Tu te forces. Ne vois-tu pas que les
temps modernes sont finis; que les temps nouveaux commencent? On croit partir dans une
guerre, on est dans les premières convulsions d'un
changement de civilisation, et toi, tu penses à
des oreillettes fourrées! Depuis quatre ou cinq
ans, tout chavire, tout chaloupe, tout s'affaisse,
s'incline, se renverse, tombe; à chaque instant
la terre nous manque sous les pieds, elle n'est plus
qu'une petite barque dans le halètement d'un
abîme, et toi, ravi et en extase, tu ne vois que des
oreillettes fourrées! Les familles éclatent comme
des marrons de feu d'artifice, les amours s'éteignent
et puent comme de la chandelle; la simonie étrangle
tous les pontifes dans un lasso d'or; la photographie des membres de tous les gouvernements
semble avoir été faite à la morgue; il y a plus de
charniers dans une tête d'enfant moderne que
dans tout un poème thibétain; les lois sont de la
vermine de plaies, et toi, ce que tu vois de plus

clair quand un homme se met un casque sur la
tête, ce sont les oreillettes qui protègent du froid!
Tu prends les cervelles humaines pour des îles
Borromées?

« Je ne te parle pas de cette guerre qu'ils s'ima-
ginent avoir déclarée. Et c'est pourquoi j'attache
beaucoup plus d'importance à ce casque de cuir
acheté à la foire qu'à tous ces casques de fer que
les hommes sont en train d'essayer dans les magasins des casernes. Ce qu'ils appellent la guerre,
c'est la première tranchée de la grande colique.
Ils ne sont pas encore nus; ils ne sont pas encore
profondément farfouillés par les griffes du mal,
ils sont seulement atteints du mal, et c'est à peine
le commencement. Ils mettent maintenant des
casques de fer, mais les derniers guerriers de cette
apocalypse seront peut-être bien contents de se
couvrir la tête avec des crânes de bœufs. Ils vont
se battre avec des machines, ils finiront par s'assom-
mer avec des gourdins. Ils vont se mélanger comme
des fleuves furieux, mais les derniers, un contre
un, se déchireront comme des loups dans la nuit
des corridors forestiers. Il ne s'agit pas ici de
Français, d'Allemands, d'ennemis héréditaires
(tu verras qu'à partir d'un moment on changera
d'ennemis héréditaires tous les huit jours). Les
chancelleries qui préparent la comptabilité en
partie double des défaites et des victoires seront
obligées de décamper dans l'embronchement de
leurs crachats et à leurs jarretières au milieu de
torrents de flammes sans pouvoir sauver le plus
petit morceau de la couverture d'un registre. Ça
va être le plus formidable écobuage du monde,
et à travers les cendres chaudes, l'enfance des
nouvelles forêts crèvera le sol de lances vertes

plus serrées que le blé dans les champs. Et ce sera
l'ère des bois ténébreux, des routes sylvestres,
des carrefours solitaires dans les chênaies, du
silence où sonne le pas d'un lointain cheval. Ce
sera le temps des grands dénis de justice. Les villages se fermeront à la pointe des rochers comme
des nids de guêpes. Des miracles visqueux comme
de l'huile feront la roue de paon dans le tremblement du soleil. Les châteaux établiront des
rois de cartes au sommet de toutes les collines.
Mais la Justice, diras-tu? Eh bien pour la justice,
une table finira par s'arrondir encore au milieu
de quelque blanc rassemblement. Il faudra créer
de nouveaux fous, de nouveaux idiots, et la justice ira encore une fois sur les routes avec ceux-là
comme colporteurs. »

Il se tut.

La porte s'ouvrait lentement.

La Bioque entra. Elle tenait dans ses mains
l'oiseau à plumage de prince.

— Il est guéri, dit-elle, et il veut s'envoler, j'ai
de la peine à le tenir.

Elle s'approcha de la fenêtre. Monseigneur
l'arrêta.

— Frère, dit-il, n'as-tu pas un de ces laitons
avec lesquels on bague les oiseaux? Celui-là je
ne voudrais pas le perdre, il est arrivé à un
moment, où, à mon avis, on n'a plus le droit de
rien perdre.

Pendant que le Marquis montait dans la tour,
Monseigneur se leva, et lui aussi s'approcha de
la fenêtre.

C'était une étroite ouverture dans laquelle, quoi
qu'on fasse, on ne pouvait voir que très peu de
terre et beaucoup de ciel. L'après-midi s'apprêtait

à finir avec colère : dans une étrange lumière venue du nord, une cavalerie de nuages blancs cabrés contre le vent faisait flotter des caparaçons de pourpre, de bronze et d'or. De l'escadron, qui tenait tout le ciel jusqu'au fond du sud, émergeaient des mâchoires, des encolures, des crinières, des naseaux soufflants, des croupes, des ruades et des lances d'acier. Des pachydermes bleus comme du plomb suivaient avec d'énormes charges livides et loin derrière, le papillonnement rougeâtre d'un orage secouait l'ombre.

Dès que Monseigneur se taisait, la laideur lui sortait du visage. Par politesse, il se taisait le moins possible.

— As-tu peur de l'orage, petite fille? dit-il.

— Non.

— Qui aimes-tu le mieux ici dedans : le jeune ou le vieux? Ne le dis pas, je le sais. Comment t'appelles-tu?

— La Bioque.

— Ce n'est pas un nom, je suis sûr que ta mère t'appelait autrement?

Elle baissa la tête et se balança sur ses hanches de sauterelle.

— Comment te disait-elle?

Monseigneur lui caressa les cheveux avec sa main fine.

— Blanche.

— Un très beau nom, mais difficile, dit Monseigneur, c'est difficile de s'appeler Blanche. A quoi pensent les mères; je me le demande? Enfin, dit-il, la bonne volonté y est en tout cas, qu'est-ce que l'on peut demander de plus, n'est-ce pas, ma petite? C'est un très beau nom, va; pour toi tout au moins.

Il regarda par la fenêtre.

— Je ne peux pas comprendre qu'ils aient déclaré la guerre, dit-il; j'ai beau me le répéter depuis deux jours, je ne peux pas arriver à me mettre cette chose-là sous les yeux, ça a vraiment l'air d'une guerre fabriquée, j'ai l'impression que cette fois, les bonshommes ont été moins habiles. Ils n'ont même pas arrangé ça de façon à ce que ça paraisse naturel. A tout moment on se dit : Non, ce n'est pas possible, ce n'est pas vrai; jamais on n'a été autant en désaccord avec la vérité. Je crois que cette fois nous sommes au sommet de l'artifice; on vient brusquement de trouver une nouvelle façon de souffrir, et on n'en a pas encore fini avec celle-là; on commence à peine. Tout ce qu'on a fait jusqu'à présent, c'est essayer de rendre la vie facile. C'est méritoire, je n'en disconviens pas. Mais on a un instrument pour ça : c'est le cœur, le cœur qui rend la vie grande, la rend facile, car la grandeur est plus apéritive que l'absinthe. Seulement, le cœur, on a trouvé que c'était trop difficile. On a préféré se servir de trucs. Depuis plus de cent ans on a mis toute la confiance de la vie humaine dans des bricoleurs. Chaque fois qu'ils ont trouvé un truc, on a crié au miracle. Chaque fois on s'est un peu plus donné, pieds et poings liés sans crainte, les yeux fermés avec une confiance de tonnerre de Dieu, on est arrivé non seulement à presque tout faire avec des trucs, mais, ce qui est plus terrible encore, à désirer tout faire avec des trucs. On a perdu l'habitude de se servir des membres, faits pour servir. C'est tout juste si ces derniers temps il n'a pas été question de faire des enfants avec des seringues. En tout cas, il n'y a plus un seul homme qui consente à se déplacer sur la terre à

l'aide de ses jambes (si on leur disait que c'est naturel, ils crieraient qu'on veut retourner en arrière);
mais ils sont fiers comme Artaban parce qu'ils ont
trouvé le truc qui leur permet de se trimbaler le
long des routes en faisant péter de l'essence sous un
fauteuil. Si jamais ce truc-là venait à leur man-
quer, les routes seraient désertes, pas un n'oserait
se servir de ses jambes. D'ailleurs, auraient-ils
encore des jambes? A plus forte raison, plus personne n'ose se servir de ses viscères. Ce foie admirable qui noircissait comme l'orage dans les flancs
des héros d'Homère, à peine si maintenant on s'en
sert pour être acariâtre ou bilieux! Qui, parmi tous
ces veaux, est encore capable de prendre une sacrée
colère? Avec des petits trucs pour vivre et des petits
trucs pour gagner sa vie, on va au jour le jour. Si on
se trouve devant une obligation de grandeur, on
biaise, on l'évite, on s'écarte par la tangente. Si on
souffre trop, on fait un discours, ou on écoute un
discours; car on est peut-être capable d'inventer
le truc du téléphone, de la T.S.F. et de l'avion,
mais on n'est pas capable de trouver des raisons
individuelles de grandeur. Ils vont commencer
à souffrir de ça tout de suite et d'une façon épou-
vantable désormais. Oh! ils auront beau appeler,
la tôle emboutie chez Renault ne leur répondra
pas. Je ne dis pas qu'ils souffrent aujourd'hui même,
mais déjà le besoin de grandeur leur bat à la pointe
du cœur comme un panaris qui gonfle. Non, aujour-
d'hui, en ce moment même, il n'y a pour l'instant
que les familles qui se vident de leurs derniers
hommes, en hoquetant comme des bouteilles; et des
trains pleins qui se traînent les uns derrière les
autres le long de toutes les voies ferrées. J'imagine
qu'en ce moment, les casernes des villes sont

bourrées jusque sous les combles, et les gares
dégorgent sans arrêt à pleins tubes, à pleines portes,
à pleins escaliers monumentaux. Il doit déjà y avoir
des camionnages sur les routes des cantons, où se
font les batailles comme le commencement de la
procession des chenilles; et de l'homme déraciné qui
clapote en gros paquets dans tous les vallonnements
de la terre. Mais cette fois, je n'ai plus pitié, ce n'est
pas un grand troupeau de malheureuses bêtes, ce
sont les convulsionnaires de quatre ou cinq diacres
Pâris.

Le Marquis était entré sans bruit sur ses sandales de corde.

— Tu as raison, dit-il, voilà la bague de laiton, j'en
ai cherché une vierge, je n'en ai pas trouvé. Celle-là
porte notre blason et mes titres, je la trouve un peu
orgueilleuse pour ce qu'elle doit être.

— Aplatis-la avec un marteau.

— Mais il y a aussi mon adresse pour qu'on
sache qui a lâché l'oiseau, et qu'on puisse me prévenir de l'endroit où on l'a trouvé.

— Efface l'adresse aussi; on n'en a pas besoin.
Il n'y a pas deux arches de Noé, il n'y en a qu'une.
Et d'ailleurs, ça ne nous intéresse pas qu'on te dise
qu'on l'a trouvé quelque part, il faut qu'il revienne
ici de lui-même, ou bien qu'il disparaisse.

Le Marquis martela la bague.

— Tu as bien tout effacé? demanda Monseigneur.
As-tu un poinçon? Marque le nom de cette petite
fille, elle s'appelle Blanche. Un très beau nom pour
ceux qui attendent un monde blanc.

La Bioque a les yeux sombres et dorés sous de
longs cils qui font écran. Quand elle regarde de tout
son cœur, la couleur de ses yeux coule épaisse et
luisante sur ce qu'elle regarde.

L'oiseau vola d'abord lourdement à travers la fenêtre, et il resta un moment désorienté contre l'orage comme si le vent hors des murs le surprenait; puis il se mit à frapper de grands coups d'ailes paisibles, et il s'éloigna dans le sud.

DESCRIPTION DE MARSEILLE
LE 16 OCTOBRE 1939

Au beau milieu d'une très lente journée jaune de cette fin d'octobre, le *Lotus* arriva d'Alexandrie d'Égypte. Contrairement aux règles ordinaires, il entra dans la baie par l'ouest des îles, puis, au seuil même du bassin, il racla ses machines et fit deux lentes voltes pour embouquer la chicane du barrage des mines. Il portait très peu de passagers. Dans ses superstructures, le vent faisait claquer des caillebotis. A la coupée, trois majors anglais, couleur de tabac, attendaient; derrière eux, quelques officiers de cavalerie française vêtus de bleu-ciel et de galons d'or. Sur le pont des premières, entièrement vide, une jeune femme se promenait à côté d'un petit garçon.

Il n'y avait personne dans le grand hangar de la douane, sauf, derrière la banque longue de cent mètres, deux douaniers aux mains vides. Des poussières de sésame et de blé volaient de tous les côtés, et le gros œuvre des poutrelles de fer et de murs de bois roulait le vent en gros nœuds sombres comme une conque. De la grande porte venaient des cris étouffés par le claquement écumant des flots et le grondement de toutes les tôles flottantes. C'était un bataillon de tirailleurs et trois sections du train des équipages, qui embarquaient sur le *Djebel*

Nador dont on voyait les hautes parois noires dressées sur la foule des hommes jaunes, au-dessus du galet vert-de-gris des casques.

La visite des bagages fut vite faite; surtout pour les officiers, ils n'avaient d'ailleurs que des sabretaches de cuir, pleines de papier, de cartes et de tabac.

Le petit garçon était vêtu d'un costume de golf en velours noir; mais un très beau foulard rouge, plein d'anges d'or, bouillonnait autour de son cou.

— Venez voir, maman, dit-il.

C'était une gazelle dans une caisse à claire-voie. La bête était couchée sur le flanc. Les yeux fermés, elle pleurait; les larmes avaient fait un ruisseau dans ses poils clairs. Hors de ses babines, un petit bout de langue tremblait.

— Elle a soif, dit la jeune femme. Elle a soif depuis longtemps, mon chéri. On ne lui a pas donné à boire.

Elle se tourna vers le porteur de Cook qui sanglait ses valises.

— Où est la fontaine?

— Il n'y a pas de fontaine ici, Madame.

— Allez m'acheter un bol, dit-elle.

L'homme la regarda sans comprendre.

— Je veux donner à boire à cette bête.

— C'est difficile, dit l'homme, il faut que je remonte jusqu'à la rue de la République.

Mais il prit l'argent et il s'en alla.

— Venez, dit-elle à l'enfant. Nous allons attendre plus loin. (Ils marchaient tous les deux, sans bruit, sur de somptueux souliers de cuir vert.) On ne doit jamais s'habituer à la souffrance, même pour de bons motifs. On la regarde, mon chéri, juste le temps de la connaître, après, si l'on est un homme on soigne sans ouvrir les yeux.

Elle avait cependant un visage assez grossier, avec des pommettes très saillantes et une bouche épaisse faite d'un fard presque brun; ses yeux seuls, énormes, étaient d'une extraordinaire pureté.

Les derniers tirailleurs marchaient à la file sur la passerelle légère du *Djebel Nador*. Des paquets de soldats du train poussant au timon faisaient braquer des fourgons régimentaires vers le large plateau qui entrait en pente douce dans un sabord de la cale. Un bataillon d'infanterie de marine arriva au pas cadencé derrière les docks de la douane, et, compagnie par compagnie, s'arrêta en reposant durement l'arme.

L'homme revint avec un petit bol bleu à pois blancs. Il avait acheté aussi un quart Vichy; car, dit-il, il n'y a pas de fontaine; il faut aller jusqu'à Saint-Henry, et il essaya de faire sauter la capsule de la bouteille, mais il lui fallut aller emprunter le couteau d'un douanier.

La jeune femme déganta sa main et la passant à travers les barreaux de la caisse, approcha le bol bleu des babines où la langue tremblait. La bête ne bougea pas et continua à pleurer.

— Venez, mon chéri, elle boira quand nous serons éloignés.

Comme ils arrivaient à la grande porte de sortie, devant laquelle grouillait le boulevard Maritime, la jeune femme caressa les cheveux de l'enfant.

— Parfois, dit-elle, on arrive trop tard, mon chéri, mais promettez-moi, il faut toujours acheter le bol bleu.

Le porteur appela un taxi et lui donna l'adresse de l'hôtel Beauvau.

La circulation sur le boulevard Maritime était très compliquée du fait de l'entrelacement des voies

de tramways. Le tracé très ancien datait de
l'époque où tout le charroi des quais se faisait
avec des charrettes à chevaux.

Maintenant, et surtout à cette heure, les citernes
d'essence roulant sur douze roues descendaient de
la place du Lazaret, prenaient le détour de la rue
Achard au ras du trottoir, écrasant les ruisseaux;
les énormes camions des minoteries lancés droit,
depuis le quai d'Arenc, butaient violemment de
leurs gros mufles plats dans tous les ressauts du
pavage; les plates-formes chargées de tuiles, les
bacs des huileries, les déchargements des docks aux
vins, les cages étagées pleines de moutons d'Afrique,
les camionnettes d'oranges, d'ananas, de bananes,
de melons, les longues autos noires, souples comme
des couleuvres, portant des capitaines d'un bout à
l'autre du port, venaient de la rue de Clary, obli-
quaient vers la rue de Forbin, allaient à la rue
Mazenod, tournaient lentement dans le pâteux
embourbement au confluent du boulevard de la
Major, suintaient enfin, les uns entre les autres,
goutte à goutte, à coups de klaxon, vers la place
de l'Esplanade. Au-dessus de tous ces chargements,
ces capotes en tôles luisantes, ce passage incessant
de camionneurs aux torses nus, l'impériale des tramways couronnés de réclames d'apéritifs à l'anis
avançait par soubresauts, à force de longs coups
d'avertisseurs à pompe, de timbres à pied, de tremblements de vitres et de ferrailles. De temps en
temps, dans le hurlement de toutes les chaînes de
frein, tout s'arrêtait. Un taxi vert continuait à
glisser doucement au bord de la chaussée. Puis tout
repartait : les camionneurs lâchaient les leviers,
tournaient les volants, criaient avec de grandes
bouches muettes, et le trolley du tramway arrachait

aux fils électriques de longues étincelles violettes
que le bleu pur du ciel blanchissait.

Du côté de la mer, le boulevard était bordé d'entrepôts; de l'autre côté, de hautes maisons, dont
les derniers étages sur lesquels le soleil frappait
droit, étaient pavoisés de lessives de linge de toutes
les couleurs, qu'on faisait sécher sur les cordelles
tendues hors de la fenêtre par des vergues d'arti-
mon. Au bas de la rue, ces immeubles ouvraient
des boutiques de bazars bon marché, dont les
vitrines montraient des valises en carton, des
marchands de bleu de Shangaï, des officines de
peseurs-jurés, des échoppes de traducteurs, des
bars. Contre la devanture des bars, étaient collés
des rassemblements de soldats sans capotes, ni
vestes, en bras de chemise, ou en petits tricots
arrondis par la bandoulière de chapelets de bidons;
ils essayaient de les faire remplir de vin. Tous, les
uns par-dessus les autres, agitaient leurs mains
pleines de billets de cinq francs, vers une grosse
femme brune, mamelue, aux bras comme des
cuisses d'homme, qui trônait dans l'embrasure de
la porte. Par-dessus le tumulte et l'embrouillage
du charroi, ils essayaient aussi de crier vers ceux
qui s'entassaient déjà sur les ponts du *Djebel Nador*,
d'où venait comme le léger bruit d'une huile qui frit
dans la poêle. La sirène du navire souffla. Des soldats traversèrent le boulevard, courant dans le
hennissement des freins à bloc, des avertisseurs, des
trompes et des hurlements des pneus bloqués sur le
pavé.

Dès qu'on avait dépassé la place de la Joliette, le
charroi s'étirait plus vite dans des espaces plus
larges et dégagés. Le boulevard longeait le bassin.
Entre les flancs, les proues, les poupes, les

échelles, les cordages, derrière les fumées et sous le
barattement des chaloupes, l'eau huileuse ondulait,
lourde, noire, sans bruit, mélangeant d'énormes
plaques de moires luisantes. Mais, au-delà de la
jetée des Forges et de la colonne bariolée du petit
feu Sainte-Marie, la mer, rudement taillée et
retaillée par le soleil, étincelait, pleine de poussières,
de copeaux, d'écailles et de facettes aveuglantes.
De l'autre côté du boulevard, la vraie ville commençait à s'approcher. C'était la vieille. Elle était
toujours là malgré le hurlement sombre des sirènes
à vapeur. Elle recouvrait la colline, elle descendait
de terrasse en terrasse, crevassée de ruelles où
l'ombre semblait s'approfondir jusqu'à l'ombre
souterraine. Face au large avec tous ses crépis
dorés, la rue du Panier, ouverte juste dans l'orient
du soleil, avec sa foule de marins bleus, ses
femmes, ses enfants multicolores, le miroitement
de ses pavés, de ses zincs et de ses ruisseaux, le
glissement onduleux de ses épaules étroites entre
les maisons, montait à la colline comme un serpent
qui marche. Une petite placette portant un tilleul
avançait en surplomb le blanc d'un rempart arabe.

La jeune femme caressa encore les cheveux de
l'enfant.

— Les dieux que trouve votre père, dit-elle, ont
habité tout le pourtour de cette mer. Il serait
capable d'ouvrir des tranchées sous les roues de ces
tramways et d'en sortir un Horus d'or, tout à fait
pareil à celui qui vous effraya à Deïr al Bahari.
Vous souvenez-vous, chéri? L'épervier, maître du
monde.

— Croyez-vous que nous puissions revoir vite
papa?

— Il nous faudra d'abord aller à Paris, mon fils.

— Est-il maintenant habillé comme ces officiers qui étaient avec nous sur le bateau?

— Je ne crois pas.

Le boulevard longeant le canal entra dans l'ombre du fort Saint-Jean, et brusquement, au détour du rempart de la Tourelle, le vieux port s'ouvrit. C'était un espace royal. Des centaines de petites barques pontées battaient du mât dans le vent. L'eau verte frappait en écume contre les coques de bois. Un grand yacht blanc, à la poitrine d'oiseau, tout désarmé et vide, culait contre ses chaînes, comme un bouchon sous les risées qui glaçaient l'eau d'une lumière éblouissante. Une vedette échevelée d'embruns partait vers la mer, entre deux longs plis d'eau, aigus comme des ailes de martinet. Les bruits de la ville sonnèrent tout à coup là-dedans comme dans une trompe : des cloches, des cris, des sifflets, des coups de moteurs et un clapotement claquant extrêmement sonore comme un grand drap dans le vent. Le ciel au-dessus était plus nu et plus creusé que partout; si vaste, si largement ouvert vers d'extraordinaires lointains qu'il aplatissait la colline de Notre-Dame-de-la-Garde, et l'énorme Vierge d'or n'était pas portée plus haut par sa basilique que la paume des mâts d'un voilier italien, couleur de crème à la pistache qu'une chaloupe tirait mort et nu contre le vent vers la mer.

La foule couvrait les quais. Il y avait beaucoup de femmes. Certaines étaient énormes, grasses comme des thons; habillées de noir avec des moires ou des soies, têtes nues, les cheveux frisés ou huilés, de longues pandeloques de pierres rouges aux oreilles; elles portaient d'énormes paniers plats pleins de poissons. Les gens descendaient comme de l'eau de torrent par les rues perpendiculaires au quai, par la rue Dieu ou par la rue des Trois-Soleils; il y avait peu de soldats en uniformes, mais beaucoup d'officiers très bien habillés. Ils avaient surtout des bottes de toute beauté, en couleurs presque aussi tendres que les étoffes pour les femmes. En culotte de cheval, ils marchaient au bord de la mer, faisant de longs pas, comme s'ils venaient de très loin, et s'ils allaient très loin. Malgré la chaleur, ils avaient tous le cou entouré de chèches africains. Certains étaient très jeunes; le ceinturon serré à bloc, la main dans la poche de la culotte, ils faisaient bouillonner avec grâce les pans de leur tunique. Ils se saluaient mutuellement à tout moment. Des jeunes filles noires, très sensuelles, avec de petits seins durs en pomme de Vénus sous des blouses fines, des fesses superbes en ballon de football dans des jupes de soie plaquées, comme mouillées, couraient en faisant claquer de splendides souliers. Les tramways traînaient dans la foule comme de gros aimants dans de la limaille, ils en emportaient des paquets épais, collés autour de leurs plates-formes. Les énormes femmes tournaient parfois la tête, elles montraient alors de beaux visages grecs réguliers, aux yeux de vache, aux admirables lèvres gourmandes, dédaigneuses et soumises. Dans leur énormité, elles étaient parfois très jeunes, à peine des jeunes filles, et leur opulence grasse surprenait comme un mystère divin. Au confluent de la rue Moïse, de la rue de Nuit, de la rue du Coq d'Inde, les étals d'un petit marché vendaient des pastèques et de la boucherie de cheval, couverte de mouches; un poisson échappé d'un panier sautait sur la chaussée. Un nègre en bleu de chauffe l'attrapa sous sa casquette comme un papillon. Sous les cariatides de l'Hôtel de Ville, une métisse crépue en chapeau rose s'était assise, déchaussée, et elle frottait ses pieds nus avec ses mains.

Après le détour de la rue de la République, puis le sens giratoire autour du candélabre d'électricité, la Canebière se dressa entre les maisons comme un tronc d'arbre couvert de fourmis. Tout de suite, à droite, c'était la rue Beauvau et l'hôtel, un peu froid.

De l'autre côté de la rue, dans la vitrine de la Cosuth American Line, deux gentlemen installaient un grand paquebot en carton. Une fois vide, le taxi démarra doucement vers l'Opéra dont on voyait, là-bas devant, les énormes colonnes attiques. Le vent soufflait dans ces rues comme dans des couloirs de cloître.

— Tiens, se dit le taxi, puisque je suis là, si j'allais voir Loulou!

Il tourna court rue Pythéas. C'était deux mètres plus haut un chalet de nécessité. Il arrêta sa voiture. Une femme tricotait devant la porte.

— Qu'est-ce qu'il fait? demanda-t-il.

— Il boit son lait.

— Amenez-le.

Elle se pencha et fit deux pas dans le couloir émaillé de blanc. Elle apporta un petit chien loup, perdu dans sa peau trop ample. Il avait encore une goutte de lait dans sa moustache.

L'agent de la place de la Bourse siffla :

— Donnez-lui un peu de soufre, dit le chauffeur. Il va avoir la maladie, ses yeux pleurent. Je le prendrai samedi.

Il démarra en direction de l'agent.

— Et alors, dit-il, en passant à côté, on ne peut plus faire une cigarette?

— Je t'en foutrai des cigarettes!

Mais il continuait à remonter la rue Pythéas au-delà de la place.

Devant le magasin des Deux Frères, comme il attendait l'entrée dans la rue Saint-Ferréol, il chargea une femme qui sortait de la bonneterie. Elle lui dit : 150, boulevard Baille. Elle était extraordinairement belle, brune, bien faite, habillée avec une élégance exacte; il n'y avait qu'une franchise un peu indiscrète dans ses lèvres gourmandes peintes en rouge cerise, le glissement de ses fesses l'une sur l'autre, l'immobilité compacte de son buste. Le taxi descendit le tronçon de la rue, remonta la Canebière. Devant la salle des dépêches, la foule arrêtée débordait le trottoir. Sur le transparent, il lut au passage : « Notre artillerie bombarde Sarrebruck. Nos troupes ont pris position sur les collines qui commandent la ville. Ce matin à l'aube une de nos patrouilles... »

Les terrasses de café regorgeaient de monde. La plupart des consommateurs étaient des officiers de tous les grades, de toutes les armes, portant au cœur de petits bouquets de décorations multicolores. Ils étaient un peu étendus sur des fauteuils cannés, croisant leurs jambes habillées de belles bottes. Ils étaient par deux, trois, quatre à la table; tous jeunes, buvant l'anis, tous sans distinction d'armes étaient épaissement cravatés, du chèche africain, même certains jeunes officiers de chasseurs alpins. Les vieux officiers étaient assis seuls devant leur absinthe, ou bien ils avaient une femme à côté d'eux. A part quelques étrangères (on appelait ainsi des femmes venant d'une

autre partie de la France) assises d'ailleurs à côté
d'étrangers (ceux vêtus d'uniformes datant de
l'ancienne guerre). Toutes ces femmes étaient
immobiles comme des idoles, dans une parfaite
élégance de costume, une vacuité de regard, un
rayonnement de la chair, un visage de métal ocre
naïvement marqué d'une sensualité et d'une gourmandise de déesse.

Il faisait chaud, puis brusquement froid, comme
si le vent ouvrait les portes de la mer.

Dès qu'on entrait dans la rue de Rome, la qualité
de la foule changeait. On commençait à rencontrer
quelques soldats. Ils étaient habillés comme en
drap de billard avec un drap jaune, épais, taillé
très ample. Quelques-uns étaient en bleu de chauffe,
et seul le bonnet de police leur donnait un air militaire. Il y avait également des ménagères avec le
sac à provisions, des bourgeoises qui s'arrêtaient
devant les vitrines des magasins de dentelles. Le
taxi remontait la rue lentement, gêné par des
camionnettes de peintre, hérissées d'échelles, des
camions de ravitaillement, des bennes d'essence,
des bacs à vins, des voitures maraîchères. Des
deux côtés de la rue les boutiques de mercerie,
de bonneterie, de petits tailleurs, de marchands
de souliers se succédaient; les étals, où le client
mettait la main, offraient des caleçons de bain,
des soutiens-gorge, des pantalons, des tricots, des
chapeaux de feutre, des souliers à paillettes. C'était
la partie commerçante de la grande voie, qui, sur
plus de vingt kilomètres, trouait la ville en droite
ligne de part en part, de l'est à l'ouest. En bordure
de cette rue, sur un étroit carrefour, une colonne
portait le buste d'Homère.

Boulevard Baille, roulement souple dès la mon-

tée entre les grands arbres, dans des espaces libres
et le bruit apaisé. Surtout après le carrefour tournant et les cahots de la place Castellane où des
camions chargés de ferrailles, de soldats et de ser-
gents abordaient en oblique, à toute vitesse, les
rails des tramways et viraient au frein dans le
grand chemin de Toulon. Et la montée du boulevard, une fois dépassée, la descente longue et
souple, dans l'énorme voie sans charroi, sans bruit,
où l'on entend grésiller les pneus. Les platanes,
malgré l'automne avancé, étaient encore verts et
épais. Il fallait le vent pour aller chercher quelques
feuilles jaunes dans les profondeurs de feuillages
encore intacts. 150. — Larges trottoirs vides où
une petite fille jouait à la marelle. De l'autre côté
du boulevard, on avait creusé des tranchées avec
cheminement, poste de guet et pare-éclat. La
femme descendit et paya. Elle sentait l'œillet. Il
s'attarda à rendre la monnaie. Elle sentait l'œillet,
le poivre, et quand elle avança la main, une très
légère odeur de peau, de sueur, de poils.

Le taxi démarra droit devant lui à toute vitesse.
Le pied crispé contre l'accélérateur. L'odeur était
restée dans la voiture et flottait. Au coin de la
rue du Berceau, il évita une bicyclette d'un brusque
coup de volant. Comme il approchait du fond du
boulevard, il se dit : « Ne faisons pas l'imbécile » ;
il freina et tourna rue Bravet ; puis à gauche, rue
Grillon, et à droite, rue Saint-Pierre ; à gauche :
il était devant l'hôpital de la Conception. Des fourgons de la Croix-Rouge, vides, étaient alignés
devant la grille. Les chauffeurs, assis sur les garde-
boue, fumaient des cigarettes. Une jeune infirmière
était adossée au mur de la conciergerie ; la cape
noire dont elle s'était enveloppée dans sa rêverie

un peu poseuse la privait symboliquement de bras.
Le taxi se rangea au bord du trottoir. Un capitaine major venait de l'appeler, et s'approchait
avec un vieux médecin colonel, au visage intel-
ligent et dur.

— Au revoir, monsieur le Professeur, dit le capitaine.

Il ouvrit la portière.

— Alors, vous voyez, dit le colonel. Inutilité
totale, je ne m'en plains pas, bien entendu. Mais
enfin, la guerre...

Il ferma la portière et s'y accouda.

— Entre parenthèses, dit-il, je vous remercie
de ne pas m'appeler « Colonel ». Non, vraiment.
Bien entendu, oui, je sais. Ah! mon pauvre ami,
je suis englouti dans du papier et du téléphone.
Et du grade. Oui, bonjour, dit-il à un soldat qui
le saluait. Ce que je ne comprends pas, c'est qu'ils
nous aient réquisitionnés ici, du moment qu'ils
ont l'hôpital Michel-Lévy. Il y a toujours la même
proportion de malades civils. Je me demande ce
qu'ils en font! Ils m'ont perdu un cancer du rec-
tum; je ne sais plus du tout où ils me l'ont mis.
Ah! dites-moi, si vous voyez Aubert, dites-lui que
je m'occupe de ses derniers opérés. Notamment
son motocycliste. Je les ai trouvés dans une salle
de l'Hôtel-Dieu. Dites-lui que pour le moment
tout se passe comme si celui-là était décérébélé.
J'avais prévenu Aubert, qu'à mon avis il y avait
eu trop de pertes de matière cervicale. Les réflexes
toniques et labyrinthiques ont des effets réciproque-
ment antagonistes sur les jambes. Avec une excita-
tion du réflexe de soutien, on peut arriver à... mais...
enfin bref, dites-lui que je m'en occupe. Le bonjour
chez vous. Et merci d'être venu. Au revoir.

Le taxi démarra rue Saint-Pierre doucement.

— Ah! mon brave, dit le capitaine, menez-moi
à Allauch. Dites donc, vous avez transporté des
princesses, vous? Ça sent la femelle ici dedans.

Ils étaient en train de tourner dans les angles
droits de petites rues presque désertes.

— D'où me faites-vous passer?

— On est rue Gondard. Je vais rejoindre la rue
Georges. On monte droit aux Quatre-Chemins.
C'est le plus court.

— Prenez plutôt le plus rapide, hein! Quelle
heure est-il?

— Trois heures trente-cinq.

— Nom de Dieu! il faudrait qu'on soit là-haut
à quatre heures. J'ai encore deux cents kilomètres
à faire moi. Vous ne savez pas s'il y a beaucoup
de gendarmes du côté de Valdonne?

— Il n'y en a pas. Il y en a juste à l'embranchement de la route de Toulon.

— C'est emmerdant! ils m'ont presque déjà poissé
ce matin. J'étais passé par là pour être tranquille.
J'ai laissé ma voiture à Allauch.

— Vous allez où?

— Je vais à Gap. Je me suis fait un ordre de
mission pour Aix. On ne peut pas le faire pour
Marseille. Il faut que j'arrive à Aix, après ça va
tout seul.

— Savez-vous ce qu'il faut faire?

— Non!

— Vous voulez arriver à Aix?

— Oui.

— Eh bien, au lieu d'aller passer par le Logis
Neuf, prenez le chemin du Garlaban.

— Et après?

— Dans le bois de pins, la troisième route à votre gauche; vous descendez à Saint-Zacharie.

— Oui. Mais là il y a des gendarmes?

— Oui. Ah! mais attendez : deux cents mètres avant le village, vous pistez encore à gauche. On ne peut pas se tromper. Il n'y a que ce chemin.

— Bon, et après?

— Bois de pins sur vingt kilomètres, n'allez pas trop fort, il y a des cassis. C'est pas des routes nationales que je vous indique.

— Et après le bois de pins?

— Vous retombez sur la Nationale 8 *bis,* vous en faites trois kilomètres à droite. Allez doucement pour ne pas louper la commande; là c'est enfantin, il y a un chemin charretier dans de la terre rouge à votre gauche. Il est mauvais, mais c'est pas long, peut-être deux kilomètres, vous tombez sur la route de Toulon à un endroit où il n'y a personne. Je peux absolument vous affranchir; j'ai fait ça pendant tout le mois de septembre.

— Mobilisé?

— Oui, classe 12, et trois gosses, pas déclarés : soi-disant qu'ils ne comptaient pas. Eh bien, à table, j'y ai dit : Est-ce qu'ils comptent? J'étais aux Milles; j'avais gardé la voiture, je venais tous les soirs. Ils m'ont jamais eu. C'est franc comme l'or, je vous garantis.

— Ça m'a l'air pas mal en effet.

— Je vous dis franc comme l'or. Et alors! si on se démerde pas, c'est pas eux qui nous démerderont, n'est-ce pas? Plus on les baise, mieux ça vaut!

Ils avaient dépassé les Quatre-Chemins et longeaient de longs murs d'usines, les maisons s'étaient rapetissées de chaque côté de la rue, qui avait pris

l'allure d'une route. De temps en temps, des tramways en pleine vitesse les croisaient. Des voitures
de touristes camouflées en kaki et vert clair glissaient à côté d'eux. Les quelques passants sur les
trottoirs marchaient vite; ou bien de jeunes ouvriers
en cotte, bras dessus, bras dessous avec des jeunes
filles. Déjà quelques maisons s'appelaient : Mon
Bonheur, Mon Rêve, Villa Martine, La Clémence,
sur des plaques de céramiques fleuries. Enfin entre
deux très beaux piliers de pierre taillée portant
feuillages, chapiteaux à fleurs de lys et grâce hau-
taine de dix-huitième siècle, le vert d'une prairie
étincela sous de beaux arbres.

La route montait, et brusquement en haut de
la côte, un grand pays prit place dans tout le tour
de l'horizon. Il semblait qu'on fût en face d'une
formidable escadrille de voiliers et pourtant on
tournait le dos à la mer. C'étaient des collines de
pierres pures, blanches, hautes, pleines de soleil,
taillées en mâts, en vergues, en boulines, en affais-
sement et en gonflement de voiles, toute une marine
de rêve pétrifiée dans le ciel bleu. La flotte de ces
montagnes de craies amarrée en un immense demi-
cercle tenait tout le pays sous le grondement de
leurs pavois. Dans le cirque, qui se développait
ainsi sous les étraves de rochers, la terre ondulait
lentement en noble ordonnance romaine. Des bois
de pins noirs comme la nuit entoisonnaient des
tertres et coulant dans les vallons bordaient de
fourrures sauvages les jardins, les canaux, les
villages roses, les couvents, les églises, les temples,
les colonnes plantées au milieu des prairies et les
routes bleues. Des aqueducs miroitants comme
des vertèbres sèches sortaient des bois, alignaient
leurs arches dans des terres couleur de feu, ren-

traient au noir des arbres, sortaient de l'ombre, enjambaient les maisons, les vergers, et les parcs, et s'éloignaient dans la flexion des combes comme la carcasse d'un long reptile. A la pointe des vagues les plus hardies de cette terre, des bosquets harmonieux comme des acropoles alignaient face au soleil les longs fûts de leurs troncs cendrés. On brûlait des fanes de feuilles un peu partout et les lourdes fumées qui se tordaient d'abord au ras du sol couvraient ensuite toutes les formes d'un brouillard à peine transparent, d'où sortaient la pointe des ifs, le hérissement funèbre des cyprès et, déchirées par de brusques plongeons du vent, s'écartaient autour de quelques Champs-Élysées où des personnages noirs, loin de tout, étaient courbés sur le travail des champs. Émergeant de ce brouillard, droit devant la route, haut sur la colline et grandissant, le village d'Allauch était entassé sur un rostre de roche comme un trophée de boucliers d'argent.

Le capitaine avait laissé son auto sur la place de l'église Saint-Sébastien.

— Eh bien, lui dit le chauffeur, passez rue Notre-Dame et ça va gazer. Vous vous souvenez, hein! deux cents mètres avant Saint-Zacharie, sur le chemin, dans la terre rouge.

Lui, il fit marche arrière, tourna et se lança sur la pente qu'il venait de monter. Brusquement il eut ainsi devant lui tout le pays auquel il avait tourné le dos jusqu'à présent. C'était la ville tout entière.

Mais d'abord c'était la mer. Elle était là-bas au fond, à une distance de sept à huit kilomètres, et à partir de là, elle montait en pente douce très haut, dans le ciel. Elle était rugueuse et bouillante; elle

frappait violemment le soleil et, malgré les bruits
de la ville, on l'entendait bourdonner comme un
essaim. Couverte d'écume, elle couchait son poil
sous le vent. Dans le lointain sa peau bleue trans-
paraissait sous la blancheur du pelage. Un paquebot
rouge et noir, sortant du port, glissait sur cette
fourrure d'hermine. A mesure qu'il sortait des bras
de la jetée, il montait les pentes de la mer, comme le
traîneau monte les pentes de la montagne, et bientôt il est au-dessus du village; à mesure que le
paquebot glissait vers les îles, il montait au-dessus
de la ville, il naviguait plus haut que les toitures.
La ville était infinie comme l'eau. D'un côté, elle
entassait des usines blanches et des petites maisons
de couleurs violentes contre les collines, fermant
le golfe. Les estacades de toutes les bourgades
de pêcheurs déchiraient la côte contre laquelle
venaient battre des plis parallèles d'écume qui
couraient vers ce rivage comme le déploiement
de plume d'une aile qui ne finissait jamais de
s'ouvrir. Devant la route que descendait le taxi,
une babylone de maisons modernes dressait ses
pyramides neuves, ses tours d'ocre rose aux mille
fenêtres, ses frontons, ses terrasses, que le soleil
oblique séparait les uns des autres par de sombres
masses d'ombre. Les boulevards charriaient des
torrents d'arbres tout droit à travers les maisons.
Ils descendaient vers l'ancienne ville. Ils s'y
étiraient, minces comme des fils entre d'imposants
immeubles noirâtres au fond desquels luisaient çà
et là des couronnes de balcons en fer forgé. De la
houle des tuiles grises, d'innombrables cheminées
émergeaient comme la pointe des mâts d'un cimetière de bateaux. Et loin vers l'ouest sous les
fumées, les embruns et la palpitation d'étendards

de poussière, le corps écailleux de la ville courbé
dans l'élargissement du golfe était emporté finalement vers la haute mer par les terres basses du cap
de l'Estaque.

La route se mit à descendre, comme si elle voulait passer sous la terre; brusquement elle entra
dans une rue, les maisons se dressèrent autour d'elle
comme des piliers de cavernes. Le ciel recula au
fond des hauteurs avec la blondeur du soir. Le
crépuscule était déjà dans la ville. Sous toutes les
portes l'ombre attendait pour sortir. La rue était
bleuâtre. La relève de trois usines métallurgiques
avait mis sur les trottoirs une foule d'ouvriers
qui se dépêchaient à marcher vers le côté où la ville
était épaisse. Peu à peu ils rencontraient des devan-
tures de bars, ralentissaient, puis s'arrêtaient.
Quand le taxi eut dépassé la montée du jardin
zoologique, il n'y avait déjà plus, comme piétons,
que des hommes en pardessus, en capotes de
soldats, quelques bourgeoises en chapeaux modestes
et de ces maigres jeunes filles aux belles fesses bal-
lonnées, qui, penchées en avant, trottaient comme
des biches en faisant claquer leurs talons. Tout
bleuissait de plus en plus, mais restait encore assez
clair. L'ombre ne sortait pas des portes mais on
n'allumait pas les réverbères et la nuit entrait peu
à peu librement dans la ville.

Au carrefour des Quatre-Chemins, un homme à
gros ventre arrêta le taxi et se fit conduire chez un
coiffeur de la place des Réformés. En descendant
le boulevard de la Madeleine déjà sombre, plein
d'ombres mouvantes, le chauffeur était obligé de
se servir à tout moment de ses freins. En même
temps il jurait posément avec des mots énormes.
Devant la boutique du coiffeur, l'homme descen-

dit en faisant crier le marchepied. Tout en se fouil-
lant pour payer, il replaçait son énorme ventre
d'aplomb sur ses jambes. Un peu de lumière fil-
trait de l'imposte. Il avait les lèvres gourmandes,
le menton cruel, le visage gras d'un César. Il
ouvrit la porte. Elle était doublée d'étoffe noire. La
boutique éclaira violemment des fauteuils, des
marbres, des cuvettes, des flacons, des nickels,
la caissière frisée en frégate blonde, à qui la lumière
électrique faisait des lèvres de charbon épais. Elle
bougea ses lèvres noires sur des mots que l'on
n'entendait pas dans le cliquettement des ciseaux,
le ronflement des séchoirs, le claquement des
serviettes et elle sourit plissant ses yeux auxquels
de très longs cils faisaient des barbelures d'étoiles.
La porte se referma sur l'odeur du savon, d'eau de
Cologne et de lavande.

Le taxi descendit doucement les allées Gambetta.
On l'appela du trottoir. Il continua à descendre.
On l'appela encore plus bas. Cette fois même on
lui fit des signaux avec des éclairs de lampe électrique. Il commençait à faire nuit. Il se demanda si
ce n'était pas un agent. Mais non, c'était au coin
du boulevard d'Athènes, et il vit des valises sur le
trottoir. C'était des gens qui voulaient aller à la
gare. Il s'échappa, il traversa le carrefour et entra
dans la rue Tapis-Vert. Il déboucha sur le cours
Belsunce qui sentait l'arbre, le plâtras et l'anis.
Malgré l'absence totale de lumière, on comprenait
tout de suite la vieillesse de ce petit boulevard,
la noble fatigue qui habite les endroits où les
hommes passent depuis des milliers d'années. La
foule cependant coulait sur un large trottoir, mais
sans bruit. Depuis longtemps à la limite des démo-
litions du vieux quartier de la Bourse, où se creu-

saient les vastes écuries des anciennes auberges de roulage, on avait renversé, charrié, aplani les immeubles qui bordaient l'ouest du cours Belsunce. La poussière n'en était pas encore retombée, et, soutenant la dernière maison, un échafaudage de grosses poutres de bois dressait sa cage thoracique sur le rose gris du couchant. La mer chantant au fond de l'esplanade, il semblait qu'on avait étayé les murs avec une carène de navire. De temps en temps des portes s'ouvraient éclairant la foule qui passait sans bruit sous les arbres. Le chauffeur rangea sa voiture le long du trottoir, et entra au bar.

Il dit : « Bonsoir, Charles. »

L'autre passa un coup de serpillière sur le comptoir.

— Qu'est-ce que tu prends?

— Quelle heure est-il?

— Cinq heures et demie.

— Un petit.

Il lui donna un anis blanc comme du lait dans un très petit verre.

— Ça va les affaires?

— Ça va.

Il y avait là une dizaine d'hommes debout qui buvaient. Un soldat, court de taille, dans une petite vareuse sur d'énormes pantalons cannelés, épais comme des piliers de terre, parlait en patois ardéchois. Il semblait irrité. La voix charriait de lourdes charrettes sur des chemins de montagne, cependant il avait l'œil bleu comme un commencement de jour et une grande naïveté dans sa colère.

Un homme assis se dressa et s'approcha.

— Qu'est-ce que vous dites de Daladier? demanda-t-il.

Le soldat regarda son propre uniforme comme s'il se réveillait et il fit un pas vers la porte.

L'autre lui mit la main sur la poitrine et l'arrêta.

— Attendez un peu.

— Foutez-lui la paix, dit le chauffeur, ça vous regarde ce qu'il dit?

— Précisément, dit l'autre, ça me regarde.

— Alors quoi, la liberté.

Il tira un carnet de sa poche.

— Je n'ai pas le temps de discuter. Donnez-moi votre nom, vous aussi.

— Je n'aime pas les mouchards, dit le chauffeur.

L'autre lui mit la main au collet, il les tenait ainsi tous les deux les bras écartés. C'est ce que se dit le chauffeur et brusquement il le frappa de toutes ses forces en plein visage. Ça avait l'air de s'être passé très lentement et pourtant l'homme qu'il venait de frapper baissa les bras et se renversa en arrière sur une table de marbre; il mangeait une grappe de bulles de sang, et très vite des gouttes de sang tombèrent sur le marbre avec une violence de couleur qui arrêtait la pensée comme le sommeil.

— File par la cuisine, souffla Charles.

Il s'embroncha dans la porte.

— Pardon, Madame, dit-il.

La femme, assise jambes écartées, écossait des petits pois dans son tablier.

Elle le regarda sans rien dire traverser la cuisine et sortir.

Il était rue du Petit-Saint-Jean. Il tourna vite l'angle rue du Baignoir et il se mit à courir. Il re-

monta la rue Tapis-Vert en courant, boulevard
Dugommier, il vit là-bas dans l'ombre, les ombres
de la foule sur la Canebière, il se dépêcha d'y aller,
puis il pensa au cabinet souterrain qui était au
carrefour sous les arbres. Il y descendit. Il n'y avait
pas de clients chez le cireur.

Il était debout. Il vissait au tournevis une talon-
nette de caoutchouc à un petit soulier de femme.

— André, dit le chauffeur. — Il cligna de l'œil.
Il lui dit : Viens. — Il entra dans un cabinet.
— Reste devant la porte; écoute; continue à tra-
vailler.

— Il ne vient personne?

— Non. — L'autre continuait à visser sa talon-
nette. — Il m'arrive une sale histoire. Tapé dans la
gueule à un de la Secrète.

— Quand?

— Il y a cinq minutes. Au bar de l'Entr'acte.
Il ne vient personne?

— Non.

— Écoute, il faut aller chercher ma bagnole.

— Où est-elle?

— Devant le bar.

— Passe-moi tes papiers.

— Tu veux y aller?

— C'est pas que j'y tienne. Où veux-tu que je
te la mène?

— Mène-la boulevard Vauban, en face du 15.

— Passe-moi ta casquette. Je vais te passer mon
tablier. Mets-le, sors et garde la boutique. Je vais
affranchir la femme des cabinets. S'il y avait un
coup dur, elle dirait que tu n'as pas bougé.

Devant le bar de l'Entr'acte, la porte ouverte
éclairait un groupe d'hommes et de femmes, trois
képis d'agents, un carnet blanc, une main qui

écrivait, quelques visages durs et là-bas dedans,
au-dessus d'un mouchoir sanglant, deux yeux qui
cherchaient.

Personne près de l'auto. Le cireur assura sa casquette, juste un peu petite — ouvrit la portière,
s'assit au volant, appuya sur le démarreur.

— Où allez-vous?

Une main s'appuya sur la portière.

— A mon boulot.

Mais en même temps il reçut le faisceau d'une
lampe électrique en plein visage. Il ferma les yeux.

— Descendez.

— Je vous demande pardon, dit une voix calme,
cet homme m'a chargé à Saint-Henry et il m'a
amené ici. Nous venons d'arriver. Je l'ai payé
et il est descendu avec moi pour regarder, par
curiosité. Il n'était pas là quand la chose s'est
passée.

Dans le rayon de la lampe électrique, ce fut un
visage d'homme jeune, malgré les joues creuses.
Il avait de très fines moustaches de soie, la bouche
plate et mince, très sévère et des yeux noirs qui
regardaient droit au-dessus de la lumière.

Il y eut seulement un tout petit regret dans la
façon dont l'agent abaissa sa lampe avant de
l'éteindre, et il s'éloigna.

— Merci, dit le cireur.

— De rien, filez vite.

L'homme fit deux pas de côté. Comme il démar-
rait, le cireur aperçut l'homme qui traversait le
boulevard et entrait dans les terrains derrière la
Bourse.

La nuit était maintenant noire dans la ville
comme dans une vallée perdue.

L'homme longea les jardins; la verdure sentait

fort. Ici il y avait un peu de terre sur l'emplacement où l'on avait rasé tout le vieux quartier; en
attendant de reconstruire on avait planté des arbres
et des herbes, et soudain la nuit et l'automne
avaient leur goût véritable. L'homme ralentit
le pas, puis s'arrêta. Le tronc des petits palmiers
avait l'odeur d'un poil de chien. Quelques fleurs,
qui devaient être des cœurs-de-Jeannette, sucraient
les remous du vent. De très hauts immeubles fermaient tous les côtés; leurs ombres épaisses mordaient le dernier clair du ciel. Au bout d'un moment,
sous le camouflage des fenêtres, il vit luire de petits
serpentements de lumière comme dans des montagnes de braises. A mesure que ses yeux s'habi-
tuaient à l'obscurité, l'homme voyait peu à peu
le large du jardin, le vent y tournait ses poings
violents et ce barattement séparait les feuillages
de la nuit. Il y eut là, tout d'un coup, une chose
qui arrêta tous les gestes de l'homme; il allait allumer une cigarette et il resta la boîte d'allumettes
à la main. Brusquement, étrangement compacte
à cause de la couleur intense, une palme grise, le
feuillage d'un érable, ou la forme d'un hêtre
pourpre surgissant de l'ombre, faisait un geste
souple, un appel comme du fond de la mort, puis
disparaissait. Il y avait pendant le temps d'un
éclair une ivresse de noir, puis de suite, la seconde
d'après, tout renaissait de ces ténèbres sous lesquelles on entendait se froisser et se défroisser
les formes, fuyant et appelant la naissance.

L'homme guetta l'apparition de la palme. Une
séduction infinie l'endormait, son cœur battait
dans du miel, son sang se ralentissait dans du
miel. La palme grise, encore gluante du néant
dont elle sortait, sortait avec un petit cliquette-

ment de squelette neuf, et dans cette ombre où il
y a un instant à peine il n'y avait rien, où tout
était possible, il y avait maintenant une forme :
la palme. Elle était à peine écrite dans la nuit,
elle y flottait, finie, mais parfois submergée par
un léger flot d'ombre qui l'effaçait et la laissait
apercevoir, la mélangeait encore un moment; elle
jaillissait enfin, nette, vivante, comme en route
vers sa réalisation totale, poussant devant elle
son odeur de papyrus vert puis elle reculait et
sombrait. Tout cela faisait à peine comme un
léger halètement à la surface de l'ombre. Le bruit
des feuillages était lui-même doux. Les odeurs
seules étaient énormes. Il y avait l'odeur de la
terre; pas du plâtras, du mortier, du crépi, l'odeur
des murs, non! la terre, celle de dessous les pieds.
Il y avait l'odeur des racines. Il y avait l'odeur
des troncs, l'odeur des feuilles. Il y avait l'odeur
d'une écorce, puis d'une autre écorce, pas très
serrée, jaunâtre comme celle d'un saule, puis d'une
autre écorce qui devait être fendue et devait juter
une grosse goutte de gomme. Il y avait l'odeur de
l'herbe, il y avait l'extraordinaire odeur du ver
de terre; de l'entrelacement mystérieux des chevelures de racines blanches, propres, pures comme
les racines mêmes de la neige; la poignante odeur
du ver nu, gluant, vivant enroulé dans des humus
plus radieux que mille soleils. L'heure sonna à
un clocher du côté de la mer. L'homme alluma
sa cigarette. Du bout du pied il chercha le bord
du trottoir et il descendit sur la chaussée. Dans
le noir il se dirigea vers des lueurs furtives qui
laissaient entrevoir l'embouchure d'une rue entre
deux hautes falaises. L'absence de lumière semblait imposer à la ville une sorte de silence étouffé.

Les moteurs chuchotaient. Sur de longs espaces glissants les autos coulaient, sans bruit, avec à peine de légers éternuements et quand elles embrayaient de nouveau, c'était après un petit gémissement de freins, un ronronnement de gorge à peine sensible comme le renard qui se rase sous le vol de l'aigle. Elles ne portaient plus de phares mais seulement de petites étoiles bleues qui n'éclairaient rien, sauf pendant les arrêts de circulation, au carrefour, un visage aux grands yeux hagards, derrière le pare-brise, comme le visage d'un noyé au fond de l'eau. A cet endroit où la rue Saint-Ferréol s'embranche dans la Canebière, un agent réglait l'entrée des voitures dans la voie centrale. C'était un géant de plus de deux mètres, le képi faisait de sa tête un cube de bois; il ouvrait et fermait ses bras dans sa pèlerine, couvrant et découvrant une petite lanterne électrique accrochée à son ceinturon comme un immense oiseau éventant son ventre phosphorescent. A son commandement s'arrêtaient, en face de lui, trois ou quatre pare-brise glauques et derrière l'étoile bleue, un visage de noyé, de longues moustaches sur une bouche noire mordant un cri silencieux, deux yeux ivres; des lèvres rasées hérissées de rides, deux yeux ivres; un petit visage de vieille femme, deux yeux ivres; une énorme face grasse glabre souriant éternellement aux anges malgré les deux yeux ivres obstinés à regarder le chemin dans l'ombre. L'agent battait des ailes et le flot emportait les noyés dans la Canebière et toute une épaisse pâte d'étoiles bleues tournait au confluent. L'agent battait encore des ailes et de nouveau tout s'arrêtait et il restait là, comme en extase, à palpiter doucement de la pèlerine devant quatre ou cinq nouveaux visages de noyés à l'étoile.

L'homme entra dans la rue Saint-Ferréol.

On avait tendu devant les vitrines des rideaux de serge bleue; les lumières de l'intérieur des boutiques élimaient la trame comme les étoiles éliment la nuit. Tous ces rideaux étaient ainsi sablés d'une poussière d'or étouffée comme sous les épaisseurs bleuâtres des espaces et dans la phosphorescence de ces constellations un peu saignantes apparaissaient les matériaux des étalages.

Il y avait des fourrures d'ours, des peaux de léopard, de panthères, de renards, d'astrakan, de loutre, d'hermine portant dans leurs poils des aurores, des midis, des soirs, des nuits, des eaux dormantes, profondes, rapides, des écumes, des glaces et la mort. Plus loin il y avait des cristaux, des verres, des porcelaines, des terres vernies, de l'émail, des arcs-en-ciel, des météores, des grappes de soleil, des éclats sourds, des feux étouffés, le silence infini des jeux de la lumière. Il y avait des étoffes, des draps, des laines, des lins, des tapis, du tabac, des pipes, des cuirs, des gants, des souliers, des bottes, des chapeaux, des plumes, des manteaux de plume, des cols de plume, des livres, les noms d'Homère, de Montaigne, de Cervantès au fond de ce bleu-univers des rideaux de serge. Il y eut la large vitrine d'un marchand de musique où tremblaient des violons et les tambours de toutes les contrées du monde et ouverte sur un pupitre la large partition du *Stabat Mater* de Pergolèse avec le léger labour de ses portées extraordinairement droites comme les labours de la terre, vus de la lune à travers les espaces bleus de l'univers. Il y avait au bas de toutes les vitrines un endroit où le rideau de serge manquait, ne touchant pas le bois de la devanture. Par cette mince fente jaillissait un rayon de lumière crue et ce rayon éclairait les mains de toute la rue. C'étaient les mains que les passants balançaient au bout de leurs bras. Elles étaient vides. Les doigts pendaient comme cinq queues de serpent. Au-dessus de ces mains, dans la lueur des rideaux, la foule passait, entrecroisant ses formes muettes où apparaissaient à la fois ou l'un après l'autre, mélangé ou séparé, le galon d'or d'une manche, le sang d'un képi, la paille d'une chevelure de femme; l'ombre d'une porte de couloir les éteignait, le bleu de la serge les rallumait de loin en loin. Tout portait des mains vides sur lesquelles tout de suite la lumière crue s'attachait; elles dansaient avec le reste des corps; mais les corps n'étaient faits que d'ombre. Les mains vides dansaient seules; et quand elles se relevaient, sortant de la lumière, pour aller vers quelques moustaches, vers quelques saluts militaires, vers quelques cols de fourrure, vers les cheveux frisés sortant du chapeau, tout de suite elles s'éteignaient. Elles n'étaient plus qu'un petit feu follet blême perdu dans les compartiments célestes des vitrines. Puis elles redescendaient, retombaient dans la lumière, toujours vides, cinq petites queues de serpent mort, mais qu'on vient juste de tuer et qui serpente encore au-delà. Il y eut une main de femme qui cependant tenait un bouquet de violettes. La rue charriait un épais limon d'autos et de noyés à l'étoile et de l'autre côté, sur l'autre bord, dans la forêt des ombres de la foule, le liséré blanc des mains vides courait comme une bordure de galets dans le palpitement des eaux.

L'homme remontait la rue Saint-Ferréol. Il y

eut sous la serge la sombre vitrine d'un joaillier.
Malgré le velouté des velours, les écrins noirs,
violets, pourpres et verts composaient une nuit
cassée et profonde comme la vraie nuit. Dans les
intervalles de ces blocs cassés par le premier mar-
tèlement, et qui ne jointaient plus, s'enfonçaient
les profondeurs de ce qui est le plus lointain et
sur les faces de ces morceaux de nuit étincelait
en énormes étoiles, ce qui est le plus près : pla-
nètes solitaires d'où jaillissaient le décuple éventail de soixante-dix couleurs rayonnantes, étoiles
troubles où s'enroulait lentement la moire d'une
huile épaisse; constellations autour d'un collier,
d'un bracelet, d'un poisson, d'une ourse, d'un
chien, d'une baleine, d'un scorpion, d'un héros,
d'une vierge, d'un arbre, d'un bouc, d'une flèche.
C'était brusquement là comme la pointe de l'aile
de paon d'un archange. L'homme passa. Devant
lui, les hanches adorables d'une femme avaient
été saisies par l'ombre; un vieil officier passa devant
la vitrine, au moment où les hanches de la femme
tombaient au bras d'une autre ombre. L'homme
traversa la lueur d'une autre vitrine. On voyait
un peu de ses moustaches de soie. De temps en
temps on voyait un peu de sa bouche mince comme
une rose écrasée, on voyait un peu le blond de sa
tête nue et de temps en temps ses yeux de pierre
noire plus oiseaux que le feu, mais impassibles
et cloués dans un front.

L'homme arriva sur la place de la Préfecture.
Les arbres grondaient de vent et le vent sifflait
contre les marbres, les balcons, les cariatides d'une
grande façade, courait dans des chapiteaux, secouait
des hampes et faisait claquer des drapeaux. En
même temps dans la longueur de la place descen-

daient les lentes mesures d'un immense choral
étouffé qui chantait au-dessus des toitures. A
force de pas et de glissements d'autos dans tous
les quartiers s'était élevé un grondement de basse
noble qui ondulait sur un mouvement de respiration logique, mais surhumaine. Il soutenait
le ténor déchirant des tramways, frottant la courbe
des rails dans les détours du boulevard descendant
de Notre-Dame-de-la-Garde. Et comme des voix
d'enfants les girouettes des cheminées, les tôles
des entrepôts, les verrières, le cliquettement des
innombrables fenêtres des hauts étages jetaient
dans le ciel en mouvement des aigus insolites qui
muaient au milieu du vol de la voix, et rejoignant
la basse grondante s'y enroulaient comme une
jeune vrille de vigne, verte, acide mais emportée
par la même torsion que le cep. La mer frappait
un tambour qui était toute la longue jetée de la
Joliette et parfois, avec une main que l'on imaginait de la couleur des abîmes, elle frappait dans
les rochers du Pharo un coup dont l'extraordinaire
réalité étreignait les foies et les ventres des jeunes
filles qui attendaient le tramway de la Madrague
dans les tourniquets de la place. Les échafaudages
d'ascenseurs claquaient du câble comme des gui-
tares et, par moment, un cor enroué soufflait des
notes à vastes horizons; c'était le vent qui du côté
du nord embouchait les galeries courbes du palais
Longchamp.

L'homme tourna à droite. La rue étouffa les
bruits. Ici la circulation était arrêtée, l'ombre
plus obscure. A part quelques autos alignées le
long du trottoir et qui faisaient un peu de lumière
avec leurs étoiles bleues, il n'y avait qu'une lampe
voilée sur une maison du côté gauche. Elle était

placée assez haut sur la façade, et dans les ténèbres, elle suffisait à faire surgir du dessous d'elle dans une sorte de crépuscule permanent l'ouverture d'une très haute porte entre deux colonnes, au bout de six larges marches d'escalier. Sur le seuil, moitié de nuit, moitié de fer, de drap et d'acier, un soldat en armes montait la garde. Il avait la baïonnette nue au bout du fusil. Des officiers sortaient, le soldat présentait l'arme. Des officiers montaient les six larges marches, on entendait le petit froissement du soldat qui se préparait et il présentait brusquement l'arme au moment où l'officier passait le seuil. A ce moment-là, le soldat raidi dressait la tête et la lisière du casque découvrait un visage tout maigre de jeunesse, un menton fin, une bouche de petite fille, des joues qui n'avaient jamais eu de barbe. Les yeux restaient cachés sous la visière et tout était entouré d'une jugulaire de cuir.

(Extrait de « Chute de Constantinople ».)

LE POÈTE DE LA FAMILLE

Nous habitions une vieille maison ancrée dans la terre au bord de la rue depuis longtemps; depuis que les Arabes avaient construit cette petite ville écailleuse. Mais la sœur de mon père habitait des maisons volantes. Tantôt elle en avait une en train de battre de l'aile au Tyrol, puis c'était en Bosnie, en Hongrie, au Piémont, en Vaud, en Engadine, toujours dans la montagne, toujours à un endroit où l'on avait besoin d'un tunnel, d'une route, d'un barrage, d'un pont sur quelque abîme, enfin de tout ce qui était ciment, terrassements, échafaudages, travail de pioche, de pic, de truelle, d'audace et de défi. Dès qu'on avait besoin de ce genre de choses, pour hérissé que soit le pays, pour étroits que soient les cols, pour durci que soit l'hiver, la sœur de mon père arrivait et construisait sa maison sur l'emplacement même du besoin.

C'était une vieillarde altière, sèche, aux reins droits. Elle avait le nez long, légèrement serpentin des mammifères fouisseurs. Il n'y avait jamais un centimètre de graisse dans sa peau qui depuis toujours était exactement collée autour de ses os et de ses muscles, si étroitement qu'à chaque geste elle craquait comme de la soie. D'ailleurs, la sœur

de mon père était toujours vêtue de soie noire. De
soie noire et de bijoux d'or. Vêtue de bijoux d'or,
car c'étaient des bijoux larges comme des plaques
de cuirasse; je sais maintenant qu'un de mes cousins les lui fabriquait spécialement à son usage
en martelant plusieurs bijoux naturels ensemble.
L'important était la surface d'or, cependant dans
chacun d'eux on distinguait vaguement une forme.
Il y en avait un en particulier qui avait celle d'un
oiseau. Il s'appuyait avec des pattes presque véritables sur ce qui dans tout personnage naturel
s'appelle le creux de l'estomac. Chez la sœur de
mon père, cet endroit-là était plat et dur comme
un palier de machine. L'oiseau martelé s'y appuyait
malgré tout avec ces sortes de griffes où, sous l'or,
on voyait un peu rosir du cuivre, et cela lui suffisait pour qu'il s'éploie en un élan qui le faisait
s'élancer de chaque côté de la poitrine vers les
endroits où les femmes naturelles, même vieilles,
ont des seins ou des traces; j'aimais beaucoup cet
oiseau. C'était en réalité de simples plaques de
métal où se voyaient encore les impacts bruts des
coups de marteau. Il fallait tout inventer pour y
voir l'oiseau; mais alors on le voyait beaucoup
plus beau que tous les oiseaux véritables et beaucoup plus beau que tous les oiseaux imités. Naturellement, ce bijou était extraordinairement lourd.
Il était agrafé dans cette soie noire, impalpable,
dont toujours la sœur de mon père était vêtue, et,
en raison même de sa lourdeur et de la nature
flottante dans laquelle il était fixé, il battait contre
les os de la poitrine de ma tante. Alors, elle le tenait
en appliquant sur lui sa main de squelette, large
ouverte; et, dans ces moments-là — qui se répétaient
cent fois par jour — elle avait tout d'un coup en

dehors de sa vie l'œil inquiet et naïf et le cou
étrangement mobile d'un énorme oiseau aux toutes
petites ailes d'or mal réussies. Elle avait encore un
bracelet. Celui-là venait de son ancienne splendeur.
C'était un bracelet de femme large et léger. Beaucoup trop grand pour son bras et sa main. Elle le
perdait à chaque geste. Mais à chaque geste elle
le rattrapait avec beaucoup d'habileté et une
grande peur. L'habileté et la peur étaient
instinctives. Elle pouvait en même temps parler
durement, agir durement, le bracelet glissait,
elle le rattrapait habilement avec une extraordinaire peur de le perdre. On entendait la peur au
claquement sec de ses doigts rattrapant le bijou;
on la voyait à un battement de ses paupières. Cela
arrivait plus de mille fois dans un jour. Il lui restait
malgré tout le temps de commander férocement sa
famille, ses ouvriers, ses chantiers, ses enfants
et ses alliés. Et moi-même plus tard. Nous savions
tous qu'elle avait peur de perdre ainsi le seul objet
important de sa vie, le plus beau reste d'une
étrange et constante passion ancienne. Nous savions
aussi qu'elle était trop fière pour avoir l'air d'y atta-
cher devant quiconque la plus petite importance,
sauf devant elle-même. Mais cela la regardait, et
ça ne regardait qu'elle. C'est ce qu'elle voulait dire,
et elle le disait parfaitement. C'était un bracelet
léger fait d'admirables cols de cygnes et de torsades de primevères ajourées. Tout tenait ensemble
par de minces maillons usés, roses; de même
qu'étaient devenues roses les blondes bosses des
cols de cygnes, et les arêtes des fleurs de primevères. L'agrafe était une énorme fleur baroque,
peinte avec quatre améthystes en larmes appointées
en croix autour d'une améthyste ronde. Une sorte

de deuil glorieux brillait d'une lumière triomphante
dans les cinq pierres. Elle avait aussi une bague en
fer, une sorte d'alliance monstrueuse. On se demandait avec quoi cette bague l'avait alliée, et on le
savait tout de suite. Sans détail. Ce devait être à
quelque succulence énorme et bleue. Le doigt
racontait le reste de l'histoire. Par sa vieillesse, sa
maigreur et la mort qui déjà le séchait, il s'était
entièrement libéré de l'étreinte de la bague. Si bien
libéré qu'il restait toujours un peu replié sur elle
pour ne pas la perdre. Pour ne plus jamais la
perdre.

J'aimais les lèvres de ma tante. Comme tous les
vieillards, elle n'avait pas de lèvres; mais on était
saisi par la certitude qu'elle en avait eu. Un jour
je les vis. Chaque fois que ma tante changeait de
maison, elle nous prévenait de son arrivée dans le
nouveau pays par une carte postale. Ce n'était
jamais une photographie de ce pays, une vue générale ou particulière; c'était toujours une carte postale de déclaration d'amour, avec la banderole
amour toujours sortant de la bouche de l'homme en
cire et se déroulant en serpent vers l'oreille de la
femme en porcelaine. Ma mère entrait la carte à
la main. « C'est de ta sœur. — Où est-elle? » répondait mon père sans lever les yeux de son travail.
Ma mère s'essayait à prononcer un nom avec des
Z, des R et des W. « Bon », disait mon père, et ma
mère emportait la carte avec les autres cartes dans
le tiroir de la machine à coudre. C'était fini pour la
connaissance sonore de la nouvelle mais, à partir
de là, silencieusement on y pensait. Moi en tout
cas; et, je sais qu'à partir de là, mon père aussi
commençait à démesurer par un long regard immobile l'entrebâil du cuir qu'il découpait au tranchet,

imaginant les terrifiantes vallées où sa sœur était
en train de faire sonner ses os et ses bijoux; et à partir de là, dans les moments de calme, c'est-à-dire
exactement tous les dimanches à trois heures moins
cinq de l'après-midi, juste au moment de partir pour
Vêpres, un éblouissant vertige passait dans les yeux
bleus de ma mère. Pour elle, c'était un bref accès.
Elle mettait aussitôt ses deux mains à ses tempes,
organisant l'aplomb imperturbable de son petit
chapeau noir sur ses beaux cheveux blonds et elle
partait droit vers Dieu, les pieds posés sur une
flèche. Moi, j'avais douze ans immenses! J'ouvrais
souvent le tiroir de la machine à coudre, et je regardais tout le catalogue des envols et des sauts de la
vieille femme. Il n'y avait que des noms de pays
écrits de sa main d'illettrée et, au recto, ces hommes
de cire unis à des femmes de porcelaine par le
serpentement des « amour-toujours ». C'est ainsi
qu'un jour arriva dans mes mains l'image d'un
visage solitaire. Il n'y avait pas d'homme à côté
de celui-là; il n'était pas en porcelaine; rien ne se
penchait vers lui. Il était seul. Je n'ai jamais rien
vu de plus beau depuis que je vis et que je vois.
C'était le visage d'une femme frêle et simple. Je
voyais qu'elle avait été saisie là, au moment d'un
éclatement de foudre. L'instant d'après, elle avait
dû s'effondrer en charbon; mais là, ses yeux ouverts
sur un délice enflammé, elle s'étonnait d'une
immense joie enfin connue. Alors, à partir des yeux,
par une courbe d'une douceur exquise, les pommettes, un peu mongoles, descendaient vers la
bouche. Elle était gonflée par un appel, lèvres
fermées; elle le contenait : mais malgré tout son
désir de silence elle appelait de toutes ses forces.
L'image un peu jaune, mais de temps, ne donnait

pas la couleur; cependant à l'avancée de cette
bouche pleine, se tordaient, lentement, admira-
blement contrariées l'une sur l'autre, les deux
lèvres dont il était certain dans leur brillant qu'elles
étaient couleur de vin. Celle du dessus devait être
épaisse comme mon petit doigt, et infléchie au
milieu; celle du dessous, toute mince, ployait aussi.
Mais, ce que je n'ai jamais vu qu'à ces lèvres, c'était
ce mouvement d'appel; d'appel éternel comme si
cet être vivant avait changé le cri en un silence
infini mieux d'accord avec ses pathétiques besoins,
en même temps que le gonflement de la bouche la
donnait éperdument avec audace et défi. Mon père
me demanda ce que je regardais et je lui dis :
« Regarde! — Ah! me dit-il, c'est elle. — Qui? — Ma
sœur. » Je m'aperçus alors en effet que ce n'était
pas une vraie carte postale, mais une vieille photographie au dos de laquelle on avait fait au crayon
les encadrures d'une carte postale. Mon père
regarda en dehors de l'image très loin. « Elle avait
trente-quatre ans, dit-il. Elle était mince et pourtant grasse, comme une herbe humide. On ne
pouvait pas la regarder. — Pourquoi? demandai-je.
— Sans drame », dit-il au bout de longtemps.

Il garda cette image sur sa table. Un jour, il
me demanda : « A quelle date a-t-elle envoyé ça? —
Le 4 janvier. » On était en mai. « Il y a son
adresse? — Oui. — Prends la planche », me dit-il.
C'était la planche sur laquelle il découpait le cuir.
« Prends du papier et de l'encre. Tu vas lui écrire
de ma part », ajouta-t-il. Il me dicta. C'était simple.
Il lui disait : « Arrive ici, j'ai besoin de toi. » Sans
tendresse. Ce n'était pas vrai. Mon père n'avait
jamais besoin de personne; et il était toujours
tendre.

Elle arriva un matin. Elle traversa notre rez-
de-chaussée où était l'atelier de ma mère en
quelques pas très calmes, pendant lesquels elle fit ses
salutations et déposa son bagage : « Où est-il? dit-elle.
— En haut, dit ma mère, à son atelier. » Elle y
monta sans qu'il y ait eu un arrêt dans son pas
ni pour ma mère, ni pour moi, ni pour personne.
J'entendis craquer les amarres de notre maison.
Ils descendirent à midi pour manger. Elle s'assit
à table à côté de mon père et prit son repas presque
joyeusement. Elle attardait seulement tous ses
gestes pour les accorder aux gestes paisibles de
mon père. Elle s'efforçait de ne pas perdre son
bracelet. Le doigt replié retenait farouchement la
bague de fer. Elle parla comme une personne
ordinaire.

De temps en temps seulement elle arrêtait l'effon-
drement de son oiseau d'or en y appliquant sa main
sèche et le faisait sonner contre les os de sa poitrine. Elle avait à peine fini la dernière bouchée
que mon père lui dit : « Viens. » Et ils s'en allèrent
de nouveau ensemble dans les hauteurs de notre
maison. Le soir, elle demanda qu'on dressât son
lit sur une petite banquette dans l'atelier même
de mon père. Ce qui fut fait. Moi, je couchais
dans la chambre de mes parents. Silencieusement
ce soir; eux aussi et je m'endormis. Je me réveillai
en pleine nuit. Ils parlaient. « Est-ce qu'elle t'a
expliqué, dit ma mère. — Elle n'explique jamais
rien, dit mon père, et ça vaut mieux; car il vaut
mieux ne pas s'effrayer à l'avance. — Ce sont ses
fils? — Non, elle les a tous dressés. — Ils sont toujours avec elle? — Ils ne seront jamais ailleurs,
même pas quand elle sera morte. Elle a réussi à
faire une formidable famille; elle a réussi à faire

un ordre terrible avec le plus grand désordre du monde depuis la chute des anges. — Et, dit ma mère, est-ce qu'elle t'a parlé de l'Aîné? — Non. — Il est aussi avec elle? — Non. — Tu sais où il est? — Non. — Elle ne s'en inquiète pas? — Non. — Les autres, qu'est-ce qu'ils font? — Maintenant? Un tunnel à K... à travers le Loetch. Un tunnel qui en son milieu doit passer sous un lac. Mais en réalité, ils font comme toujours sans qu'ils le sachent. » Il s'arrêta de parler. « Peut-être le savent-ils », dit-il après et il y eut un long moment de silence. « Ils contentent son terrible besoin de vivre. » Je m'efforçais de rester raide dans mon lit. Je respirais à peine de peur de le faire craquer. « Elle souffre? — Oui, dit mon père; avec qui veux-tu qu'on remplace tout? » « Vois-tu, Pauline, dit-il après, un jour, elle a péché en n'acceptant pas la mauvaise fortune en même temps que la bonne. » Cette fois le silence dura, puis j'entendis le plus beau bruit du monde. C'était mon père qui ouvrait son bras pour que ma mère vienne se reposer au creux de son épaule.

Le lendemain, je payai d'audace et j'entrai dans l'atelier de mon père pendant qu'il était en conversation avec sa sœur. Ils ne firent pas attention à moi. Je me dissimulai dans un coin d'ombre, où j'avais l'habitude de vivre seul avec mes propres richesses, quand je venais voir mon père, et que je le surprenais à ces moments où il bourdonnait pour lui-même une interminable chanson monotone. Au bout d'un moment il cessait de chanter et il me demandait : « Où es-tu? — Je m'amuse. » Il recommençait à chanter. Cette fois, il demanda tout de suite : « Où es-tu? — Je m'amuse. — Non, reste là, dit-il, et sois sage. » Il savait donc qu'une

fois dans l'ombre je partais. Je restais là. Ces
quelques mots d'ailleurs n'avaient pas même inter-
rompu cette conversation passionnée, qu'il pour-
suivait depuis l'aube avec sa sœur. Ma tante avait
seulement profité de ces quelques secondes de
répit pour avaler rapidement deux grandes bou-
chées d'air, et je compris tout de suite, à la façon
qu'elle avait ainsi d'utiliser le plus petit repos,
qu'ils étaient, elle et lui, engagés dans une féroce
bataille. Elle recommença la première.

— As-tu des aigles ici? demanda-t-elle.

— Je ne sais pas, dit mon père.

— Pourquoi ne sais-tu pas?

— Parce que je suis cordonnier.

— Et depuis quand les cordonniers ne peuvent-ils
pas regarder les aigles?

— Pas quand ils travaillent.

— Nous avons des aigles, dit-elle. Nous avons
eu des aigles dans tous les pays où nous sommes
passés. Mais les aigles que nous avons maintenant sont les plus beaux de tous. Personne n'en
a jamais vu de pareils. Et, as-tu des vaches?

— Les gens du pays ont des vaches.

— Mais toi?

— Tu sais bien que non.

— Moi, j'en ai deux, non, trois; mais alors, si
tu voyais... C'est un pays où les vaches sont extraordinaires. Il y en a qui donnent jusqu'à vingt-
cinq litres de lait. Les miennes font trente à trente-
deux, facilement, tous les jours et encore, on se
fatigue de les traire avant qu'elles soient fatiguées
de donner.

— Qu'est-ce que tu fais de tout ce lait?

— Je le bois, je fais des gâteaux, je fais de la

crème pour manger avec les framboises. Et, as-tu
des framboises?

— Tu sais bien qu'il n'y a pas de framboises ici.

— Pourquoi?

— Parce que ce n'est pas le pays.

— Si tu voyais les framboises que j'ai : grosses
comme ton pouce. Et à deux pas de la porte. Il
n'y a pas besoin de courir. Je fais deux pas tout
de suite après la porte de ma chambre, et tout de
suite, ce sont des framboisiers à perte de vue,
couverts de framboises, grosses comme ton pouce.
Plus grosses que ton pouce. Et as-tu des champignons?

— Non.

— Pourquoi?

— Parce que ce n'est pas le pays.

— Et si tu voyais les champignons que j'ai à la
saison. Et c'est toujours la saison. Il y en a toute
la saison. As-tu mangé des cornillières?

— Je ne sais pas ce que c'est.

— Les meilleurs! qui n'a pas mangé de cornillières? Non, c'est vrai tu n'en as jamais mangé?
C'est le meilleur champignon du monde, rare,
tout petit, mais un parfum! Un peu d'anis, l'absinthe, tu sais. Tendre. Là, où je suis, ça en est
couvert. Il y a trois pas à faire. Je dis : Allez,
allez me chercher des cornillières. Les enfants
même, n'importe qui, pas besoin de connaître.
Il n'y a que de ceux-là, et là, sous la main, et gros
comme le poing. Des paniers, on en ramasse tant
qu'on veut, en deux minutes. Tu aimes les truites?

— Oui.

— Ah! si j'avais pu, mais le voyage est trop long.
La veille de mon départ, le Giacomo est arrivé avec
au moins sept kilos de truites. Il les prend comme

des mouches. Il revient du travail, je n'ai pas le temps de le voir. Je dis où est Giacomo? On me dit, il était là, il y a cinq minutes. Il arrive; il a sept, huit kilos de truites. Nous avons un ruisseau à dix mètres de la maison. C'est défendu de pêcher, sévèrement, tout le monde; ça appartient au baron. Il y tient. C'est surveillé. Comme la prunelle de son œil, mais nous, on nous aime. On nous a dit : à vous c'est permis. Plusieurs fois même le baron a dit : Quel est celui-là, là-bas dans l'eau? On lui dit : C'est Giacomo, ou bien, c'est un fils de Mᵐᵉ Juliette. Ah! bon, dit-il alors, ça va. Huit, neuf kilos, une fois douze.

— Treize, dit mon père.

— Non, douze, dit-elle, mâchoire durcie.

Elle leva la tête très droite, regardant mon père de haut.

Lui, courbé sur ce qu'il était en train de faire. Je crois qu'il cousait une semelle. Il regardait son travail. Alors elle commença à parler. Elle serrait les mots les uns contre les autres pour qu'il n'y ait pas d'air entre eux; pour qu'on ne puisse pas passer entre eux le moindre couteau, pour qu'on ne puisse pas écailler, desceller ou démolir le grand édifice de ses mots. Ivre de son fantastique échellement sur des échafaudages de fumées, elle construisait avec une vitesse surhumaine les murailles vertigineuses de son mirage. Mais on comprenait bien qu'une telle Babel ne pouvait surgir que du désert.

Il arriva un moment où je ne comprenais plus les mots qu'entassait la vieille femme. Quelques-uns étaient encore français cependant, mais ils

ne représentaient plus rien pour moi, sauf des
images qui n'avaient plus très probablement aucun
rapport avec leur vrai sens. Elle parlait maintenant tous les patois de tous les pays qu'elle avait
habités. De temps en temps surgissait une longue
phrase piémontaise. Elle s'attardait sur elle, y
attendrissait sa vieille bouche. Sa voix avait alors
des sonorités enfantines. Je me souvenais de ce
que mon père m'avait raconté sur leur enfance
commune en Piémont. Je les voyais, elle et lui,
vivre dans ce pays vertical, sonore et sombre. Je
connaissais parfaitement bien le mariage des
enfants et de la magie. J'en vivais. Il devait y avoir
entre elle et lui quelque ancienne complicité
magique. Elle essayait de le compromettre en lui
faisant entendre qu'elle n'avait rien oublié.

Mais mon père était un primitif que rien n'inquié-
tait. Il se servait toujours de cinabre, de neige et
d'or.

Il la laissa parler. Il guettait le moment où elle
serait bien obligée de revenir à l'air libre pour
reprendre haleine. Et en effet, au milieu d'un
indescriptible catalogue de ses richesses, elle s'arrêta.

— Et les pots de chambre? dit mon père.

— Eh bien quoi?

— Est-ce qu'ils sont chez toi plus beaux qu'ailleurs?

— Ils sont les plus beaux du monde, dit-elle
avec défi.

— Et la merde? dit-il alors, cruellement.

— Oh! ça, dit-elle, c'est pareil partout.

Maintenant elle pleurait. Mon père s'était dressé
et l'avait prise dans ses bras. Il frottait sa grosse

tête barbue contre son visage. Il la débarbouillait de
sa barbe blanche qui coulait de tous les côtés, et
de sa bouche qui baisait les yeux, les joues, le front,
les lèvres, disait des mots, grognait, pendant que la
vieille femme avait, sous les caresses de son frère, le
tremblement extasié et les coups de tête brutaux
des agneaux qui tètent. Ces deux visages se
léchaient avec fureur, comme s'ils étaient le sel l'un
de l'autre. « Allons, ma vieille chèvre! Tu te souviens quand je t'appelais ma chèvre? Mais non,
tu n'as pas tort. Je vais te dire pourquoi tu as tort.
Il ne faut jamais regarder ce que l'on aime. A
l'époque, je te l'ai dit. Mais si! Tu n'as pas compris
parce qu'il n'y a pas moyen de comprendre quoi
que ce soit, quand on souffre. Tu crois que je suis
tout le temps heureux, moi? Et puis, avec ta nature.
Tu veux toujours tout. Bien sûr que tu as raison,
c'est ce que je dis. Je sais que c'est important.
Qu'est-ce que tu crois que je fais, moi? Tu crois
que je suis tellement différent de toi? Moi aussi,
je veux tout. Oh! moi aussi, je regarde ce que
j'aime. Non, je ne te fais pas de reproches. Je sais,
c'est naturel. On ne peut pas s'empêcher, je sais
que c'est un signe d'amour. Loin de moi, de croire
une seconde que tu ne sais pas aimer. C'est le
contraire qui m'inquiète : Chèvre! Tu sais. Tu ne
sais que ça. Moi aussi. Écoute : il y a longtemps
que cette chose-là est arrivée maintenant. Je sais
bien que le temps n'y fait rien. N'essaye pas de
m'apprendre ce que je sais mieux que toi. Mais non,
je ne dis pas le contraire de ce que je pense; je parle
seulement de ce que je sais. Soixante-huit ans, ma
vieille chèvre, soixante-huit, il y a trente ans que
c'est arrivé. Tout neuf comme d'hier! Je sais.
Comme si tu l'avais encore devant les yeux! Je sais :

les mots, sa voix, ce qu'il disait! Je sais. L'habitude
de penser avec ses mots à lui! Je sais. Voir ce qu'il
voyait. Je sais, je sais. Je pourrais le dire mieux
que toi. Je vais te le dire. Pas mieux, c'est bêtement qu'il faut le dire. Aimer ce que l'on a perdu.
Ça dit tout. Ce qu'on a perdu par sa faute. Mais
si, sois juste. Être juste donne tout de suite la
paix. Enfin, une paix. Il ne faut pas être difficile.
Tu crois que je me suis laissé prendre, moi, à tous
tes ponts, à tes tunnels? Tu en as trouvé des ravins
assez profonds? Je sais que non. Je te voyais,
accrochée d'un côté; lancer tes câbles de l'autre.
Et après : quand c'est fait, quoi faire, recommencer?
Chercher un précipice encore un peu plus profond
et aller s'y balader dessus avec un vieux corps
de femme, eh oui, un vieux corps. Mais bien sûr,
je sais bien un cœur embaumé. Je n'oublie pas ton
cœur. Je suis ton frère. J'ai le même. L'amour
est comme la peur : s'il ne crée pas les dieux qui
le grandissent, il est une laideur insupportable, pour
moi, du moins. Je n'ai jamais dit ça. Je sais qu'avec
toi, il ne s'agit pas de laideurs. Mais je le dis quand
même pour que tu le saches. Tant mieux, si tu
sais. Tu n'as jamais plus eu de nouvelles? trente
ans! C'est qu'il est mort. Tu préfères? Je sais que tu
le penses. Je ne le dis pas pour ça. Je le dis parce
qu'il est mort. Les choses sont toujours plus simples
qu'on ne croit. Il faut se méfier de ce qu'on imagine.
Je sais que c'est beau. C'est précisément pour ça
que je te le dis. Vrai et beau. Que veux-tu de plus?
Pour toi seule. C'est beau aussi l'égoïsme, ma
chèvre. Je te comprends très bien. Il est mort. Et
tu vas mourir. Mais oui, tu vas mourir, toi aussi.
Il va falloir plier bagage. Quelle bonne chose de
savoir qu'il y a la mort; qu'elle existe. J'y pense

souvent. Parce que je suis ton frère, précisément.
Mais non, pas renoncer. Qu'est-ce que vous imaginez tous. C'est maintenant que tu renonces. Ce
qui ne s'accomplit pas dans la vie, s'accomplit dans
la mort. Alors? Alors? Alors? »

Mais elle fut sèche avant que mon père ait fini
de la lécher. Elle avait repris son feu d'œil et son
craquement de soie quand elle vint à sa place à
table pour le repas de midi. Et dans mon père,
il y avait une sorte de repos. « Ce qu'il faudrait
dans notre famille, dit-il paisiblement, c'est un
poète. Je ne parle pas de moi. Parce que j'ai fait
deux ou trois petites chansons, Pauline croit que je
suis un poète. A ce compte-là, ma sœur en est un
plus grand que moi. Un poète, ma pauvre Pauline,
c'est un type qui met tout en bombe. Après on
est bien content de retrouver les décombres. »
Il eut un petit rire dans sa grande barbe. « Les
décombres », dit-il pour lui-même, et son rire écrasait encore le mot en poussière. « Je ne sais pas en
quoi vous êtes bâtis, vous autres, mais si vous
croyez que ça n'est pas avec des décombres!... »

Ma tante annonça alors qu'elle partirait le lendemain à la première heure. Tout de suite après elle
dit qu'elle voulait m'emmener avec elle.

— En fait de poète? dit mon père.

— Non, en fait de fils.

— Mais tu en as déjà, toi!

— Je ne sais plus combien.

— L'embêtant, dit mon père, c'est que moi, je
sais que je n'en ai qu'un. Et précisément aussi,
moi je m'en sers de fils.

Cependant, le lendemain matin, elle m'emmena;
et à la première heure.

Elle avait en voyage une vie prodigieuse. Sa voix devenait une voix d'homme. Son corps prenait un poids nouveau qu'elle portait avec un pas spécial. Elle avait à chaque instant des questions personnelles à régler avec les disques, les signaux, les sifflets, les enjambements d'aiguillages. La plupart se réglaient au cours d'incessants dialogues avec toutes ces choses. Le bruit du train couvrait sa voix, mais on voyait bouger ses lèvres en même temps que l'œil précis attrapait le brusque éclaboussement de guêpe écrasée d'un disque dépassé et en comprenait la pleine signification. Dans le bruit même qui montait à travers les planches du wagon, elle entendait certaines plaintes d'essieux, certains essoufflements de freins, elle leur adressait des encouragements personnels, leur disait qui elle était, les félicitait, les soutenait de son approbation ou d'une critique toujours extraordinairement pertinente. En même temps, elle ne perdait pas l'ensemble pour le détail. Son œil inspectait toutes les boiseries, les boulons, les ferrures, les courroies tant au point de vue de matières dont elle connaissait les forces de résistance qu'au point de vue de constructions en action. Tout le temps qu'elle était dans un wagon, ce wagon était parfaitement renseigné sur la façon dont sa charpente de superstructure jouait par rapport à son châssis. La plus petite vibration d'un clou était immédiatement transmise et expliquée par ses soins à tout le reste de l'organisme. Rien ne jouait sans son contrôle, mieux, rien ne jouait sans sa sympathie. Les mille accidents de la voie, les courbes,

les montées, les descentes, elle ne les prenait pas
comme voyageur passif et emporté, mais comme
cavalière du train, comme amazone, mieux comme
centauresse. Elle faisait partie de la voie ferrée, du
matériel navigant, de la vapeur. Tout cela se faisait sans ostentation. Le voyageur assis en face
d'elle ne voyait qu'une vieille dame très soignée
et coquette, il remarquait à peine et à la longue seulement, qu'elle marmonnait sans cesse en bou-
geant ses lèvres, mais c'était peut-être des prières;
les lueurs de commandement qui passaient dans son
regard, mais cela pouvait être le commandement
à quelques soucis. Quelquefois, cependant, elle se
dressait; c'était à des moments particulièrement
délicats. Si le train entrait à toute vitesse dans une
de ces gares, qu'il sautait, elle se dressait et s'approchait de la portière. Elle écoutait passer les
plaques tournantes, claquer le joint des rails, souffler les murs et les hangars. Elle regardait défiler
les voies de garage, les postes d'aiguillage, les
réservoirs d'eau, les bâtiments de la gare, les quais
d'où s'envolaient les papiers, les épluchures et les
poussières. De tout ce temps, cramponnée d'une
main à la courroie de la vitre et de l'autre au filet
du porte-bagages, elle exécutait avec le balancement
de son corps une sorte de manœuvre comparable
aux corrections instinctives d'un capitaine de navire
marchant vers la barre au lever du vent. Tant que
le train n'avait pas de nouveau enfilé son ballast
régulier. Pendant un long arrêt, elle s'avança
jusqu'à la machine. Le chauffeur débordait du
tender une burette à la main. Elle lui parla; et les
quatre ou cinq premiers mots furent sans doute des
maîtres mots en chaufferie, machinerie, buretterie
et tout le bazar, car l'homme étonné releva sa

burette et ce fut lui à partir de là qui fit tous les
frais de la conversation! Interrogeant, s'exclamant,
tandis qu'elle, rengorgée, distante et ferroviaire-
ment aristocratique, lui répondait par petits mono-
syllabes condescendants. Elle le salua; lui indiqua
deux ou trois petites choses qui, à son avis, clo-
chaient dans les parages de la bielle ou du coussinet,
et il se pencha pour regarder attentivement et
sérieusement où pointait son doigt; puis nous ren-
trâmes dans notre wagon. A un autre arrêt, elle
s'en alla contrôler un autre genre d'activité. Nous
traversâmes plusieurs voies. Elle en profita pour
mettre définitivement à leur place deux hommes
d'équipe, un porteur et un lampiste. Les deux
hommes prétendaient qu'un train de marchandises
en manœuvre allait nous couper le retour vers
notre train; le porteur lui cria de faire attention
à sa vie, et le lampiste faillit frotter ses lanternes
contre sa robe; ce dernier avait aggravé son cas en
assurant que ces inconvénients n'arrivent pas aux
gens qui ne fourrent leur nez que dans leurs
affaires. Il fut prouvé aux deux premiers que seul
un âne ferait manœuvrer de la marchandise sur ces
voies de trafic principal. « Au surplus, dit-elle, il
ne passera ici dessus (C'était la voie en plein milieu
de laquelle nous étions elle et moi arrêtés) que le
rapide de 18 h 16 et il est 16 h 28. » Elle assura
le porteur, avec une politesse exquise, mais un tout
petit peu inquiétante, qu'elle n'avait cessé de faire
attention à sa vie pendant soixante-huit ans et que,
malgré que sa rencontre avec lui (le porteur) mar-
querait comme la date la plus importante de toute
son existence à elle, elle conserverait encore assez
de sang-froid pour continuer ce qu'elle n'avait
jamais cessé de faire. Le lampiste dut certainement

s'aliter le soir même pour quelques jours avec du coton dans les oreilles. Ceci fait, nous passâmes outre. Nous avions deux heures à rester là : il s'agissait de s'approcher du dépôt des machines. Ce qu'on fit très facilement après avoir parlé, mais technique cette fois, avec un mécanicien qui retourna sur ses pas et nous accompagna. Là, il fut question de longueur, de largeur, de poids, de tonnes, de consommations et ce n'était pas toujours l'homme qui rectifiait, c'était elle le plus souvent, sans commentaires, d'un chiffre sec. Le mécanicien qui était retourné sur ses pas devait, au moment où nous le rencontrâmes, s'en aller vers les douches et son repos; mais il resta avec nous tranquillement par plaisir. Elle tomba même sur un sujet tout à fait particulier. — Je crois qu'il s'agissait d'une démonstration mathématique de poids limite de l'entrecroisement des courants d'air sous la visière du tablier pendant la traversée des tunnels excédant un kilomètre. — Et il écouta sans un mot en se grattant la tête. A la fin, il nous raccompagna jusqu'à notre compartiment, nous faisant traverser à son bras tous les passages interdits.

Le train entra dans les montagnes. La vieille femme devint plus pathétique encore. Il n'y avait pas une ondulation de rail, une courbe de voie, un triangle d'aiguille, une glissade de bifurcation qui ne soit entièrement dans son corps à elle. Le convoi montait lentement le long de gorges étroites. Son serpentement faisait sonner longuement les échos sous lui, au-dessus de lui, le long de lui, dans des ravins, des roches glacées et des forêts de mélèzes. C'était sur une ligne

secondaire, loin des larges alignées parallèles de
rails couchées sur les plaines. A chaque instant,
de l'eau, de la glace, du rocher étranglait le passage, ou bien, des abîmes tranchants et bleus,
comme des couteaux, le traversaient. Elle entendait longtemps à l'avance tous les ouvrages d'art.
La montagne était comme une immense caisse de
résonance. Le tablier des viaducs était tissé de
câbles, de poutrelles, de longerons, de cornières;
à tout ce fer, le rail transmettait son tremblement
longtemps avant notre arrivée et tout ce fer chantait en sourdine. Alors, l'arc des ponts répartis-
sait au-dessus des gouffres tout le murmure de
ce fer et les profondeurs en faisaient la voix de
Moïse. Elle avait baissé les glaces et elle écoutait.
Ceci lui permettait en outre de suivre avec attention tout le menu fretin des travaux de terrasse-
ment, de maçonnerie, de ponceaux, de murailles
qui soutenaient la voie dans son encorbellement,
la protégeaient des glissements de pierre, la portaient au-dessus des ruissellements et des infil-
trations. Au clin d'œil et dans la succession inin-
terrompue de tout ce devant quoi on passait, par
l'importance d'un mur, par le choix des matériaux
(qu'elle reconnaissait sans faute au passage), par
un aplomb, par un porte-à-faux, par l'habituel
de ce travail ou par son insolite, elle se rendait
compte exactement de quoi ça protégeait, pour
combien de temps ça protégerait et les modifica-
tions que notre furtif, mais pesant passage, apportait à l'œuvre. De même qu'elle pouvait à l'instant
même dire (et elle se le disait en effet à haute voix,
quoique étouffée par le bruit du train) d'où venait
l'infiltration, de quoi était faite l'eau infiltrée,
l'importance des gels d'hiver, et, d'une façon géné-

rale, imaginer avec un pourcentage infime d'erreurs
probables le profil des altitudes de tout le massif
des montagnes qu'on traversait, avec son hydro-
graphie et sa rose des vents. Mais brusquement
ses lèvres se fermaient et elle écoutait. C'est qu'arrivait le chant d'un viaduc. Et ça, c'était une autre
affaire. C'était une affaire énorme, succulente et
délicate. Il y avait là l'histoire de toute la ligne
de chemin de fer, renouvelée à chaque pont et à
chaque tunnel, bien entendu, renouvelée, complé-
tée de détails, approfondie, assurée par des recou-
pements et des explications supplémentaires, et
chaque ouvrage d'art important apportait des
documents nouveaux, des lois, des arrêtés, des
certitudes. C'était, pour le vulgaire, un simple
grondement métallique; il était seulement un peu
plus musical que les bruits de halètements du
train. Ce n'était pas un bruit de fatigue, c'était
un bruit historique, un concert de fantômes. Cela
remontait au déluge. Tout y était mélangé. Mais
elle, dès les premiers ponts, elle avait fait judicieusement son choix dans les renseignements
qu'ils donnaient en chantant. Et ç'avait été d'abord
sur la nature des roches dans lesquelles s'amar-
raient les culées. De même qu'avec le ponceau
tout à l'heure, elle était remontée par l'eau infiltrée, jusqu'aux sommets glacés de la montagne
(elle aurait pu, sans se tromper de plus de vingt
mètres, dire l'altitude du pic d'où l'eau venait),
avec le chant avant-coureur du viaduc elle connaissait la nature du rocher sur lequel était assise la
montagne. Mais, bagatelle; elle ne faisait pas tout
ça pour éblouir les gens ou se sentir maîtresse d'une
effarante science. Elle se jetait seulement à corps
perdu dans ses dernières possibilités de jouir. Et

pendant que, peut-être moi, ou tel voyageur ayant
entendu le grondement du pont nous regardions
curieusement par la portière pour voir comment
il était fait, elle n'avait qu'à rester muette en
elle-même et à laisser jouer tout son appareil de
connaissance pour savoir, non seulement comment
il était fait, mais en quoi il était fait, mais par
qui il avait été fait et de quelle manière, avec quels
soins, ou absence de soins, négligence ou attention;
et il n'y avait pas une main d'ingénieur, de contre-
maître, de manœuvre qui, une fois dans le temps,
posée sur une poutrelle, un câble, un longeron
ou une clavette n'ait laissé de trace qu'elle soit
incapable d'interpréter. D'interpréter au passage
et dans l'élément sonore; dans ce chant grave,
sévère, religieux, qui à mesure qu'on s'approchait
de plus en plus du pont s'élevait de plus en plus
haut, non pas comme un chœur de prêtres sta-
tiques, mais comme la chorale de quelque armée
spartiate au pas de course. Je l'entendis une fois
dire ainsi et à l'avance un nom : Manuel. A ce
moment-là, le bruit du pont était à peine dans le
bruit du train comme un cliquettement de cri-
quet. A mesure que le chant monta, elle répéta :
Manuel! Puis elle dit Ristagne et le Louis et Figure
de pape; elle comptait sur ses doigts. Ainsi elle
nomma cinq, six, sept noms, et même à la fin un
nom de femme : l'Artémise.

Le pont arrivait; cette fois, elle se pencha; c'était
pour une vérification. C'est bien ce que je dis,
dit-elle. Elle avait connu dans le bruit historique
le nom de l'ingénieur chef de chantier, les noms
des entrepreneurs et même le nom de la femme
qui était venue installer la cantine des ouvriers
pendant toute la durée des travaux. Car, à mesure

que le train se précipitait vers les viaducs (il avait
maintenant dépassé un col et il dévalait la pente)
on entendait grandir le tremblement en sol majeur
des arcs de patelle, le fa vibrant des échos profonds, le mi des poutrelles et des treillis, le si des
entretoises, le ré des gyrins obliques, le glousse-
ment en ré mineur des câbles d'inversion, le tym-
panon des plaques de nouées et, tout d'un coup,
l'explosion de la symphonie métallique, soufflée
par l'énorme bouche froide de l'abîme ouvert à
travers notre route. Mais la vieille femme n'entendait pas la musique. Elle entendait le nom de l'usine
qui avait laminé le bloom du fer à T; elle lisait
la marque des Paliers de Coster. Elle connaissait
la façon de travailler de l'ouvrier qui avait bou-
lonné les crapaudines. Elle savait si l'ingénieur
en chef avait l'habitude d'écheler les échafaudages
ou s'il se contentait de promenades lointaines sur
le ballast. Elle apprenait, mieux que par un contrôle
comptable, que des pots-de-vin, des pourcentages
sournois, des commissions ténébreuses avaient cir-
culé des mains du maître de forges aux mains des
ingénieurs réceptionnaires. Elle voyait combien
avaient continué à ruisseler du réceptionnaire à
l'entrepreneur. Elle entendait comment ce dernier
donnait finalement des explications difficiles à
l'ouvrier qui ne comprenait pas pourquoi on allongeait cette glissière de translation avec une pièce
manifestement soufflée. (C'est ce qui donnait en
ce moment précis cette tonalité de mi bémol majeur
que les échos répercutaient devant nos roues.)
Enfin, par l'exercice conjugué de tous ses sens,
par ce féroce appétit de vivre qui avait écorché
tous ses nerfs, leur donnant une sensibilité extraordinairement engloutisseuse, comme de sables mou-

vants, elle arrivait à connaître dans la symphonie
du viaduc, non plus ce qui était contenu dans
l'ouvrage d'art lui-même à quelque titre que ce
soit même de traces ou d'attouchement, mais toute
l'auréole d'ondes, l'aura d'actes lointains qui l'avait
entouré. Et jusqu'à quel point, par exemple, la
patronne de la cantine allait chaque après-midi
coucher pendant une rapide demi-heure avec le
gardien du dépôt des explosifs; ou bien : le dégoût
irraisonné du créateur en chef un soir de lyrisme
mathématique et d'alcoolisme solitaire devant un
pont qui était de cent mètres d'envergure trop
court pour son ambition. C'était une sorte de
musique de jugement dernier. Les archanges personnels, serviteurs particuliers de ma tante, s'en
allaient réveiller les morts pour qu'ils viennent
se présenter devant elle, et se faire juger. Levez-
vous et marchez! Venez devant votre juge! Pour
un jugement auquel de toute leur vie ils n'avaient
jamais pensé. Et comme cette voie de chemin de
fer n'était pas très vieille, la plupart des construc-
teurs devaient être encore vivants. C'était donc
un jugement *d'avant le temps,* une sorte de mons-
truosité extraévangélique qui permettait à cette
vieille femme emportée par le train de dissocier
leur responsabilité passée de leur responsabilité
présente, d'en dresser un bilan séparé, et sem-
blable à telle déesse à forme de serpent de les avaler
en son jugement tout vivants, tout crus, sans la
cuisson préalable de quelques siècles de tombeau.

De plus en plus, maintenant, elle connaissait
vraiment du monde dans les gares. Quelques
employés l'appelaient déjà Madame Juliette. C'était
le troisième jour de voyage et peu à peu d'ailleurs
nous approchions des quartiers de ma tante. Depuis

le matin, le train n'avait plus que trois wagons,
et peut-être même n'avait-il plus que deux voyageurs, elle et moi. Il s'était obstiné à remonter
le cours d'un torrent à qui, à chaque instant, il
était obligé de céder la place. Il se collait contre
les roches, tantôt d'un côté, tantôt de l'autre, pour
laisser passer de grands blocs rapides d'eau bleue.
Il soufflait d'une façon têtue, la cheminée dans
les épaules, se dandinant lentement le long d'une
route pénible qui semblait à chaque instant devoir
s'arrêter contre quelque énorme plaque de granit
lisse enfoncée de partout dans les nuages et dans
la terre. Mais chaque fois il trouvait un joint,
tournait à droite, ou bien à gauche ou bien amorçait en patinant une rampe insolite et, pour quelques
centaines de mètres encore, la route s'ouvrait dans
une courte perspective irisée d'embruns, de soubresauts d'eau et de grandes ombres niellées de
rayons de soleil. Enfin, il sembla prendre d'infinies précautions, et il se dirigea vers un chemin de
chat. Il se cramponnait de toutes ses roues; il ne
les maintenait en force ascensionnelle que par un
habile jeu de freins judicieusement serrés et des-
serrés au quart de poil. On pouvait en entendre
la soufflerie, et il y avait une telle jonglerie de
défi dans cette façon de procéder contre les lois
de la pesanteur que la vieille femme (qui imitait
durement avec sa main les gestes du serre-frein)
se pencha à la portière et cria : « Bravo Pompi-
lius. » Une voix grave et lente la remercia en
patois. « C'est difficile ce qu'il fait », me dit-elle.
Pour moi, je retenais ma respiration, je regardais,
avec des yeux larges comme des assiettes, le vide
dans lequel nous nous élevions et j'entendais dans
ma tête une voix impersonnelle qui récitait les

terrifiants premiers vers du *Roi des Aulnes*. Nous
atteignîmes ainsi une petite gare où le train, tous
freins serrés, put s'arrêter sur une sorte de plate-
forme à peu près plate de cent mètres de long.
Au-delà des barrières on ne voyait que des nuages.
Le chef de gare qui portait une sorte de shako en
poil de chèvre vint faire la causette avec ma tante.
Elle le félicita comme elle avait félicité Pompi-
lius, et il la remercia — du moins je suppose —
dans le même patois grave et lent. Un peu de vent
déchira les nuages qui attendaient dans la cour
de la gare, et je m'aperçus qu'ils recouvraient un
gouffre effrayant ouvert au ras même des murs
et au fond duquel les pays que nous avions quittés
l'heure d'avant n'étaient plus que comme d'indis-
tincts tapis de fourrures. Mais le train démarra.
Il se mit cette fois à monter le long d'une voie
fraîche, sur des ballasts propres, dans des tranchées
saignantes, sur des ponts neufs, avec une démarche
de convalescent. Sur les quatre heures de l'après-
midi, tomba un crépuscule ardoisé qui fit la nuit
dans le wagon. Ce n'était pas un vrai crépuscule
comme on pouvait s'en rendre compte en tordant
son cou à la portière. En haut, loin dans le ciel,
il y avait le plein soleil, mais la gorge dans laquelle
le train pénétrait était de plus en plus étroite. Un
torrent enragé couvert de bave, aboyant et mordant la terre autour de lui, venait à notre rencontre. Peu à peu, on recommença à s'élever par
des rampes obliques articulées d'angles aigus, de
retours et de virages pas plus larges qu'une soucoupe dans lesquels la locomotive avait l'air d'em-
mêler ses roues. Et, au bout de quelques heures
de ce manège, on se présenta devant un pont. C'était
maintenant la limite de la vraie nuit en l'air, et

ici l'ombre presque totale, mais il y avait dans le
gouffre qu'il enjambait une telle phosphorescence
de glace, de rocs blêmes et d'abîmes, que le pont
entièrement en fer était visible jusqu'au plus petit
croisillon. C'était une très légère toile d'araignée.
Elle n'était même pas finie. Le tablier du pont
n'avait pas encore de garde-fou. Dans l'entremê-
lement de la trame qui pendait au-dessus du vide,
il y avait encore un homme ou deux, accrochés,
et qui étaient en train de consolider je ne sais pas
quoi. On les voyait dans la lueur qui montait de
l'abîme, de même qu'elle permettait de voir la
profondeur sans fin et la frêle attache de tout
l'édifice : un ou deux fils noirs négligemment collés
à la salive contre le rocher. La locomotive toussa
puis, retenant son souffle, elle hasarda une roue
après l'autre. Sur le moment, je crus que tout
pliait et mon ventre me remonta jusque dans le
nez. Mais je fus tout de suite étonné et ne sais
pourquoi rassuré par un silence exceptionnel.
Le ballast et le rail étaient comme en coton. Le
pont ne chantait pas. Il avait seulement la respiration légèrement sonore des êtres profondément
occupés. « C'est moi qui l'ai fait, celui-là », dit
ma tante.

Au-delà, je ne sais plus exactement quelle fut
la route. La nuit, un étrange sentiment nouveau
de sécurité me permettait de regarder sans peur
du côté des étoiles, puis dans l'entonnoir phosphorescent des précipices. Comme nous marchions
toujours lentement, de virages en virages, le pont
resta visible très longtemps. Il s'enfonçait seulement peu à peu au-dessous de nous, toujours étrangement éclairé par le biseau des glaciers. Lui-

même à la fin ressemblait sous mes pieds à une
étoile.

Le train s'arrêta sous un grand hangar de bois.
« Descends », dit ma tante. Elle me fit passer le
bagage et claqua la portière derrière nous. Nous
étions les seuls voyageurs. Le hangar, vide, sauf
le train et nous deux, était éclairé violemment
par un gros projecteur électrique. Des échos froids
couraient, portant le bruit d'immenses ruissellements d'eau. La vieille femme regarda tout le
long de la droite, tout le long de la gauche et
appela : « Achille! » Il arriva. Pour moi, c'était
un ange. Et depuis, malgré Fra Angelico, je vois
les anges avec la carrure d'Achille. Il n'avait ni
cou, ni bras, ni entre-jambes : c'était un bloc de
deux mètres de haut, de plus d'un mètre de large,
un rectangle, presque un carré qui glissait, s'approchant ou s'éloignant avec une vélocité et un silence
stupéfiants; la chose la plus terrible, et la plus
belle, c'est qu'il était toujours là. A n'importe
quel moment du jour, si on appelait Achille, on
sentait tout de suite le vent de son arrivée et il
arrivait. C'était un de mes cousins germains. Son
visage assez beau, mais plat, s'était brûlé au milieu
d'une barbe et d'une chevelure rousses, écarquillées
en rayons d'ostensoir; il était couleur de cendres
allumées avec deux petits yeux blancs très aigus,
et une énorme, formidable bouche avec à chaque
coin une tendre fossette d'enfant, mais creusée
dans de la brique assyrienne. « Va chercher la
draisine », dit la vieille femme. Il glissa donc
comme une montagne vers un fond d'ombre d'où
au bout d'un moment il nous héla. C'était une
vieille draisine à pompe : un petit véhicule sur rail
constitué par une simple plate-forme de bois portée

par quatre roues, mises en mouvement par une
pompe à balancier. On me fit asseoir face au vent,
la vieille femme s'assit près de moi. Achille chargea derrière nous une lampe à carbure, puis avec
une de ses énormes jambes invisibles, il prit élan
contre terre, il nous lança dans la nuit et il sauta
derrière nous. La lampe à carbure crachait et
éternuait de la lumière de craie, de grandes ombres
et parfois une longue fusée bleue qui sentait le
rocher et la caverne. Un air violemment froid me
frappait. Il n'y avait pas de barrière entre moi et
la nuit, et le bord, et la profondeur. « Vas-y fort,
dit la vieille femme, et ne nous laisse pas retourner en arrière. — Donne le frein au petit, dit
Achille. — Prends ça, dit la vieille femme (elle
me tendit une corde que je serrai à plein poing).
Quand je le dirai, dit-elle, tire de toutes tes forces. »
Je ne fus qu'à moitié effrayé : d'abord l'enthou-
siasme, et puis cette sorte de certitude confuse
que chez les hommes on ne donne aux enfants
que des responsabilités d'enfant. Je ne savais pas
encore qu'Achille (et tout le monde ici d'ailleurs)
pouvait très bien charger un enfant de sept ans
d'aller allumer les mèches de quinze mines à la
dynamite. Je tins ma corde avec beaucoup de
conscience. La voie montait. Achille pompait. La
lampe éternuait sans arrêt sur des forêts de
mélèzes, des surplombs de granit, des précipices
comblés de suie. Pour la première fois de ma vie
je voyageais face à la voie. (Il n'y a pas dix voyageurs sur cent mille qui aient jamais voyagé en
chemin de fer, face à la voie.) Je sentais tout ce
qu'elle avait d'inexorable. Il n'y avait pas à « s'en
sortir ». « S'en sortir », était une terrible catastrophe. A droite, à gauche, dessus et même dessous

nous, tout était glace de mort, abîmes. Il n'y avait
de sécurité que sur ces deux rails. Ils nous menaient
où ils voulaient, et c'était la vieille femme qui
les avait posés. On montait lentement. Il y avait
dans la façon dont nous serpentions une sorte de
fatalité. Tout était obligé. J'imagine, maintenant,
que ce fut pour me faire rire, mais Achille poussa
un hurlement terrible, au moment où le rail tourna
et brusquement nous mit en face d'une gueule
déchiquetée ouverte dans la montagne. Nous
entrâmes dans un tunnel. On n'a jamais vu de
tunnel si l'on n'y a pas voyagé nu et face à la voie.
Nu, c'est-à-dire sans être abrité dans les parois
du wagon. Naturellement, tout mon sang s'enfuit au fond de moi, tout serré en une petite boule
qui se glaçait d'ailleurs aussi. Achille pompait
régulièrement. Couchée par le vent du souterrain,
la flamme de la lampe gicla en deux fines cornes
bleues. Notre bruit arrondi autour de nous comme
un cocon frappait de la tôle et du roc au bord
même de nos oreilles. Mais à peine étions-nous
entrés que je fus presque d'un seul coup apaisé
du même apaisement qui m'avait caressé sur le
beau viaduc d'en bas. Les deux personnages qui
m'emportaient étaient toujours pareils à eux-
mêmes. Même tranquillité dans l'effort d'Achille,
et la vieille femme ayant négligemment posé son
bras de bois sec sur ses genoux remonta son bracelet et serra sa bague. « Que va faire le kilomètre 43 ? » demanda-t-elle. Je voyais dans le
rocher de longues cannelures extrêmement droites,
comme des griffes. Je sus plus tard que c'étaient
les traces de la barre à mine. « Toujours de l'eau,
comme tu vas voir », répondit Achille. Le tunnel
était encore brut et frais, sans revêtement de

maçonnerie; de temps en temps seulement des épis
de ciment empoignaient en se tordant des aspérités
agressives. « Et ça, dit-elle en pointant un doigt
sur l'un d'eux, est-ce que ça tient? » Et nous montions régulièrement dans l'effort d'Achille. Il ne
se pressait pas. Je tenais négligemment la corde du
frein. « A peine, dit Achille. Il faut passer vite. »
Nous passâmes très lentement devant une fissure
dans laquelle on avait dû emprisonner quelque
source et d'où fusait un embrun de poussière d'eau
qui étouffa presque notre lampe. « A refaire, dit
la vieille femme. — Quand les hommes seront
rassurés », dit paisiblement Achille. J'entendis
des grondements devant nous. « Fais serrer le
petit contre toi », dit Achille. Le bras au bracelet
passa par-dessus mon épaule et me tira. « Tu n'as
pas peur? me demanda-t-elle. — Non. — J'ai mis
un sac, là derrière, dit Achille, couvre-le. » On me
couvrit avec le sac. « C'est de quel côté le plus
fort? — De ton côté, dit Achille, mais de l'autre
côté ça vaut la peine aussi. » Sous mon sac, je
regardais mon côté « celui qui valait la peine
aussi ». Depuis que nous étions entrés dans le
tunnel j'avais jeté quelques coups d'œil sur la voie
elle-même : les rails luisaient à ras d'une sorte
de poix luisante et moirée. Ils n'étaient plus posés
sur du ballast clair, mais sur une matière noire,
plate, plastique, et parfois frissonnante. Je m'aperçus que c'était de l'eau. Une eau épaisse, lourde,
et dont maintenant on voyait bien la rage sourde
mordre en petites écumes blanches sur le rail. Le
grondement avait étouffé tous les autres bruits.
Nous étions tous trois, comme en plein silence.
La pompe de la draisine battait sans bruit. Nous
avancions seulement. « On n'a pas retrouvé le

corps? demanda la vieille femme. Elle me serrait
contre elle. — S'ils n'avaient pas peur, on le retrou-
verait, dit Achille. — Où est-il? — Il n'a pas bougé
de place. La force de l'eau l'a plaqué sous le rocher.
Il est resté là-dessous. — Tu n'en sais rien. — Je
l'ai vu. — Quand? — Tout à l'heure quand je suis
passé en venant vous chercher. » J'entendais tout
ce qu'ils disaient parce qu'ils criaient tous les
deux à tue-tête. Leurs cris étaient comme le grésillement des hirondelles. Achille ajouta : « J'ai
vu sa barbe; elle flotte sur l'eau; on voit sa barbe
et son nez. » C'est à ce moment que je reçus un
coup terrible sur les épaules; le tunnel tournait
et je ne pouvais plus le voir que par l'entrebâil
du sac qui me recouvrait. Le tunnel tourna. Je
vis devant nous d'immenses draperies bleues
secouées par le vent. Le hurlement me souffla durement contre la poitrine. Le coup me fit rentrer
la tête dans les épaules. Une glace qui ne venait
pas de la peur m'enveloppa. La lumière s'éteignit.
Puis le hurlement me frappa le dos. Puis le hurlement s'apaisa. Puis j'entendis peu à peu battre le
balancier de la draisine. Puis j'entendis Achille
qui demandait : « Alors, ça va? — Très bien, dit
la vieille femme. — Je ne rallume pas », dit Achille.
Non. A coups de pompe, comme à coups d'aile nous
continuâmes à monter lentement. Il n'y avait plus
autour de nous que l'écho de nos bruits répercutés
par les parois du tunnel. La draisine sautait à
chaque joint de rails. Mes yeux fleurissaient tout
seuls l'ombre impénétrable avec de grandes fougères d'or qui naissaient d'un seul coup et s'éteignaient comme les grandes fougères de la foudre.
Enfin brusquement, le cocon de bruit s'ouvrit et
nous laissa à découvert, à sec en silence dans un

grand pâturage au clair de lune. On me décapuchonna du sac. Le vent de la montagne jouait dans
des forêts hautes. Nous courûmes encore un peu
sur une voie plate, en plein air, avec à peine un
petit bruit de brouette, puis on s'arrêta. Nous
étions arrivés.

Où?

Sûrement sur une porte de palier entre ciel et
terre. Le petit gravillon d'étoiles qui restait dans
les plis de la nuit verte, malgré la lune, brasillait
dans la soirée acérée de pics glacés; et, d'une grande
prairie d'ombre extraordinairement lisse qui pro-
longeait le pâturage, montaient les gloussements
espacés et les soupirs des grandes profondeurs. Il
y avait aussi une longue maison étrange. Elle avait
l'air d'être en bois. Elle était en bois. Je comptais
vingt-six fenêtres éclairées les unes à côté des
autres. Il n'y avait pas d'étage, seulement un toit
de zinc sur lequel le vent faisait claquer comme
des cordes de guitare. Au-delà des vingt-six fenêtres
pleines de lumière, je comptais encore deux, trois,
quatre, huit, puis douze fenêtres obscures. Il me
sembla que l'extrémité d'ombre de la maison s'en
allait jusqu'à cet endroit d'ombre duquel montaient de temps en temps des gargouillements
assourdis par quelque profondeur.

La maison était pleine de monde. Je voyais à travers les vitres passer des hommes, des femmes,
des enfants. On entendait le son aigre d'un violon
maladroit, un harmonica, une voix de femme
qui chantait, une voix d'homme qui chantait
autre chose, des cris d'enfants, des bruits de voix.
Je voyais de la fumée, là-bas dedans, aussi. Achille
poussa la porte et cria : « Voilà Maman. » Tout
se tut. Nous arrivâmes sur le seuil ensemble, la

vieille femme, et moi qu'elle tenait par la main.

C'était une énorme pièce longue, avec une énorme table longue sur laquelle était mis un énorme couvert. Les hommes, les femmes, les enfants que j'avais vus étaient maintenant debout, immobiles et silencieux. Il me sembla qu'ils étaient cent. Un grand chiffre! L'homme qui était le plus près de la porte (Il ressemblait à Achille, mais il ne lui ressemblait pas du tout, j'en parlerai après) dit « bonjour maman ». Tous les autres bourdonnèrent « jour... man ». La vieille femme dit bonjour. Et elle entra. Sous les lampes, je vis qu'elle était ruisselante d'eau des pieds à la tête. Son vêtement de soie collait sur elle et dessinait surtout les grands os de ses épaules. Au haut bout de la table de notre côté — il nous fallut trois pas pour la toucher — il y avait une chaise solitaire. Ma tante poussa la chaise, et poussa l'assiette. « Ici, une chaise, dit-elle, et là une assiette », dit-elle en désignant la place et touchant la table de son doigt. « Voilà votre cousin, dit-elle ensuite en me montrant, il va s'asseoir à côté de moi. » On avait apporté la chaise, sans mouvement et en silence. L'assiette vint de mains en mains et se posa à l'endroit précis que la vieille femme avait touché de son doigt. « Asseyez-vous », dit-elle à tous, et cela se fit encore sans mouvement ni bruit. « Assieds-toi, mon garçon », me dit-elle. Alors elle regarda tout son monde; je fus seul à l'entendre se dire dans un petit sourire imperceptible : « Bonjour, les enfants » et elle s'assit à côté de moi.

Il ne fallait pas oublier cet homme dont la barbe flottait dans de l'eau souterraine.

D'abord il y avait mon cousin Ajax. Il avait quarante-trois ans. C'était l'aîné. Il ne ressemblait pas à Achille, ni à celui qui ce soir-là salua sa mère le premier : celui-là c'était Sirius. Ils ne se ressemblaient pas, ni les uns ni les autres. Il était seulement absolument certain à première vue qu'ils étaient frères. Ajax était maigre, grand, noir, sec, vif, tranchant, dur, muet, fermé et d'une exquise tendresse. Tous les soirs il me faisait asseoir sur ses genoux et il me demandait de lui parler de mon père. Il était affamé de tout ce que pouvait faire mon père. En parlant il me caressait les cheveux. Il avait la main toute hérissée de cals et de coutures. Sa femme s'appelait Claire. Elle était Suisse du Tessin. C'était une laitière, par ses gros seins, par sa blancheur de lait, par le goût qu'elle avait de faire des desserts à la crème. Le reste du temps, enfin le soir, car dans la journée elle avait à s'occuper de la grande maison avec les autres belles-filles, le soir donc, elle s'asseyait près de son mari, comme elle en avait le droit, et elle tricotait ce qu'elle appelait des bas cycliste. C'était un droit pour les belles-filles de pouvoir s'asseoir à côté de leurs maris à partir de huit heures du soir, c'est-à-dire quand la table était desservie et la vaisselle lavée; mais c'était un droit dont usait seulement Claire; les autres aimaient mieux se réunir dans un coin pour chanter en chœur, aller chanter en chœur dans la prairie, ou se disputer. Car c'est également à partir de huit heures du soir seulement qu'on pouvait se dire ses quatre vérités si on en avait envie; de huit heures à huit heures et demie; après « basta ». Et à huit heures et demie juste, le juron s'arrêtait sur les lèvres, coupé en deux. Elle avait choisi la demie, m'a dit plus tard Argen-

tine, parce que ça ne sonne qu'un coup et qu'on
était obligé de s'arrêter pile; Ajax et Claire avaient
trois fils. Deux étaient à peu près de mon âge, le
troisième avait dix-huit ans et siégeait déjà à la
limite des hommes. Pour les deux autres, Félix et
Manfred, c'étaient deux sacrés pignoufs. Toutes
les corrections que les garçons recevaient indis-
tinctement et en commun étaient données presque
toujours à cause de Félix ou de Manfred. Donnez
la courroie à tous les garçons, disait la vieille
femme. On donnait la courroie à tous les garçons.
Ainsi, Ajax caressait mes cheveux et me demandait
des détails sur mon père, et aussi parfois il prenait
ma tête dans ses deux mains pierreuses et il m'appuyait les joues sur ses lèvres pour un « baiser
Turc », disait-il.

Après Ajax venait Hector. Plus tard, mon père
me dit que ces fils étaient nés pendant ce qu'il
appelait la période grecque de sa sœur. Elle avait,
me dit-il, de ce temps-là un ami qu'elle aimait
beaucoup qui lui lisait *L'Iliade*. Dès que le genou
d'Ajax devenait trop dur, je lui disais : attends;
je glissais de lui et je cherchais au milieu de tout
le monde si je ne voyais pas Hector. Hector avait
quarante ans. Un vieux aussi par conséquent. Lui
était bleu, pâle, triste, doux, paisible, toujours
occupé même les bras ballants, occupé alors d'un
travail intérieur qui l'isolait, immobile au milieu
de tout le monde. Il était bleu à cause d'un coup de
mine qui lui avait éclaté en pleine figure et qui
avait tatoué son visage. Je l'aimais pour une chose
très simple : il me prenait la main et puis il restait
là, sans rien dire. Nous restions ainsi debout ou
assis côte à côte au milieu du brouhaha de toute la
maison et c'était un extraordinaire départ. Il était

marié à une petite Napolitaine noire, très anguille, toute en flamme, en feu, en étincelles, en foudre, harmonieuse en chants, en pas, en danses, en gestes et qu'on appelait « La Guitare » pour tout ce qu'elle était sans doute, y compris le velouté mélancolique d'un long regard mouillé et plus spécialement parce qu'elle imitait la guitare en se pinçant le nez et faisant claquer sa langue. Elle jouait ainsi *Dio Tanto Superbo* et *Quando noï ci metemmo per un bosco* puis elle éclatait d'un rire pas gai. Elle avait une fille de quatorze ans qui ne ressemblait à personne et jouait, jouait à tout, à perdre haleine, sans arrêt jusqu'à jongler en épluchant les pommes de terre de la soupe. Ce qui, si la vieille femme arrivait sur l'entrefaite, motivait un « Donnez la courroie aux filles », qui faisait donner la courroie à toutes les filles présentes. Ces corrections étaient servies avec une vieille ceinture de cuir toujours pendue à un clou à côté d'un portrait de Garibaldi.

C'est Achille qui donnait la courroie. Achille était le troisième fils de la série grecque. Il avait trente-huit ans. C'était le secrétaire particulier de la vieille femme. Il ne savait ni lire ni écrire. Il était fort en pioche, en pic, en pelle, en barre à mines, en leviers, en truelle. Très fort. Il était un fil à plomb vivant. Il était l'équilibre, il ne se servait pas de ciment, il était le ciment. Il n'avait pas la science des choses de construction, il était les choses de construction. Il ne connaissait rien aux papiers. S'il y avait un papier, un plan, un compte, un dessin, une épure, il disait : « Moi, je m'en torche » et il le faisait. Mais, partant alors dans la construction prévue, sans préconçu, il se mettait à la vivre. Tout ce qu'il faisait était du trapèze volant. Inspiré, il

fourrageait dans sa barbe et sa chevelure rousse à
pleins doigts barbouillés de mortier et tout se
mettait à obéir : air, eau, pierre et feu. A obéir
d'une telle obéissance qu'on ne pouvait pas imaginer de désobéissance quelconque. Les plans écrits
en devenaient risibles. Tout était vaincu, ordonné
et créé sur-le-champ. Il ne faisait aucun effort. Il
n'y avait aucune réflexion présidant à l'œuvre. Il
était comme l'outil d'un dieu : tout se créait parce
que tout devait se créer. Ce devait être à cause de
ce génie particulier que la vieille femme l'avait
choisi pour « donner la courroie ». Ni le père ni
la mère n'avaient le droit de toucher un enfant.
Seul Achille. Il le faisait sans dureté et sans pitié.
Et personne ne bronchait. Les enfants venaient
se soumettre les uns après les autres sans cri. On
allait pleurer sous le cèdre à cent mètres de la maison. Achille était marié. A une Française. On l'appelait « La Française ». C'était une femme beaucoup plus vieille que lui. Il l'avait, paraît-il,
« ramassée » à Paris dans le temps, une fois, où,
à vingt ans, il avait été employé dans une entreprise de construction d'égouts à Gonesse. Elle
avait l'air d'un débris passé à la poudre de riz et
au rouge. C'était le démon muet. Elle était toujours en rage et en révolte. Ils n'avaient pas d'enfant. Certains soirs où elle était particulièrement
muette, rageuse et révoltée, la vieille femme disait
froidement — plus froidement encore que d'ordinaire — « la courroie à la Française ». Achille alors
se servait de sa propre ceinture. Il se dressait,
défaisait la ceinture de son pantalon. Viens, disait-il,
et la Française le suivait dehors. Mais elle revenait
muette, rageuse et révoltée.

Après venait Sirius. C'était le premier de la série

astronomique. Le premier et le dernier, car Cas-
siopée, une fille, et Altaïr, un garçon, étaient morts
en bas âge. Il avait trente-cinq ans. Il avait lui
cinq enfants, trois filles, Marie, Élisabeth, Julie,
et deux garçons : Curzio et Fidèle. La femme était
enceinte d'un sixième. Malgré que son état fût
avancé à cette époque, Virginie — c'était le nom de
la femme de Sirius — s'occupait en chef du grand
ménage de ces trente-quatre personnes vivant
ensemble. Les autres femmes se groupaient sous ses
ordres. Elle distribuait les corvées, mais surtout
mettait la main à la pâte. Souvent aussi, elle
lâchait ses fourneaux, s'essuyait les mains au tablier
et courait en faisant ballotter son ventre jusque sous
le cèdre pour consoler les enfants. Moi, je m'appro-
chais souvent d'elle. Elle était très grande, avec un
gros visage sans grâce, ni luxe. Toujours en sueur
sous deux bandeaux de cheveux noirs plaqués à la
Vierge sur ses tempes. Elle me regardait de haut,
me relevant le menton avec son doigt; elle disait
paisiblement : « Dolce » et puis « Va » et je m'en
allais. C'était la reine des tartes, des beignets, des
crêpes, de tous les desserts frits, de tout ce qui avait
besoin d'huile bouillante, de gros four, de gros
feux, de gros gestes. C'était l'impératrice des
grosses soupes. Quand elle arrivait à la table avec
son premier chaudron de soupe qu'elle haussait
sans effort à bout de bras par-dessus la tête de la
rangée de convives pour le poser sur la table, tout
le monde la regardait. Même la vieille femme. Elle
était la princesse des pâtes à l'italienne. Mais il
y avait autre chose dans quoi elle était Dieu le père
en personne. C'était pour l'utilisation de l'anchois,
du poivre, de la câpre, du condiment. Elle en
faisait des tartes, des tourtes, des salades, des

sauces, des combinaisons à l'infini, des symphonies
extraordinaires, de quoi massacrer d'un seul coup
les mille gosiers d'une légion romaine et qu'on mangeait ici sans boire, comme du petit lait. Elle suait
sans cesse, sans arrêt; ses gros bras sentaient l'eau
de vaisselle et, seule de la famille — on n'a jamais su
pourquoi — elle était couverte de puces. Perpétuel-
lement enceinte, son état inquiéta d'abord tout le
monde. Mais quand on s'aperçut qu'elle prenait à
peine une heure pour faire son enfant, debout enfermée dans la souillarde, arc-boutée contre l'évier,
on laissa faire les choses. Le soir même elle était là
et du même geste elle soulevait le chaudron de
soupe et le plaçait sur la table. Sirius n'était rien.
Il n'était pas autre chose qu'un clou. C'est tout.
Mais il faut des clous, aussi...

Plus tard, mon père continua à me parler de la
famille. Quand ma sœur, me dit-il, eut terminé sa
série astronomique, elle commença à compter les
enfants qu'elle faisait. Les premiers étaient sans
doute dans son idée des suppléments, ou bien, dit-il
encore, fit-elle sans doute comme quand on languit
et qu'on compte les heures. Ainsi, ceux qui suivirent, je les appelle, dit-il, la série arithmétique.
Il y a Primo, Secondo et Terso.

Primo avait trente ans. Marié à une Russe :
Sacha. Il avait deux garçons : Vladimir et Paul.
Il était petit, noir et tordu comme un cigare italien.
Sacha comme un nuage de mai. Les deux garçons,
quatre et six ans, des rats, toujours à quatre pattes
partout, et voleurs de fromage de gruyère. Un jour
ils se laissèrent enfermer dans un placard et on les
en sortit à moitié asphyxiés et pourpres d'indi-
gestion. On les emporta par la peau du cou pour un
« don de courroie » avant tous autres soins. Sacha

avait une voix de contralto qui faisait taire et
pleurer. Dès qu'on lui disait : Chante, elle passait
sa main sur ses yeux et on voyait la chanson qui
gonflait ses seins. Alors on se mettait à pleurer,
et la vieille femme sortait sans rien dire. Primo était
le maître des câbles et des poutrelles. Non seulement il connaissait d'intuition les résistances et
les poids mais il savait également les ajouter et les
multiplier. Dans une construction métallique, il
savait à l'avance où devaient se faire les croisements
pour résister à tous les efforts et, dès qu'un viaduc
était projeté, il se faisait descendre au fond du
précipice, attaché à un filin et, d'en bas, au fond
tout seul, il savait, en regardant en l'air, dans
tout ce que le pont devait enjamber, à quel endroit
et comment il tramerait son œuvre de fer. A part ça,
tricheur aux cartes sans que jamais on puisse le
prendre. Les ouvriers ne consentaient à jouer avec
lui qu'à la mora. Souvent le soir, il quittait la maison pour descendre à travers la forêt jusqu'aux
baraquements des ouvriers. C'était le seul qui se
permettait cette liberté.

Secondo avait vingt-cinq ans, marié à une petite
fille de vingt ans et il avait déjà deux filles, mais
c'étaient des bessonnes. Elles étaient au berceau,
toutes les deux, tête-bêche, dans une grande corbeille d'osier. Si la soirée était au calme on mettait
la corbeille sur la table et tout le monde autour
s'exclamait. Au préalable, bien entendu, on mettait les bébés tout nus. Secondo était mineur. C'est-
à-dire qu'il avait la surveillance, la responsabilité
et l'usage du dépôt de dynamite; généralement,
c'est une charge d'homme mûr. La vieille femme
en avait chargé Secondo à cause de ses défauts :
Il « *tombait tout des mains* ». S'il prenait un verre,

il le laissait glisser de ses doigts et il le cassait. Il
ne pouvait rien tenir dans ses mains, ni assiette,
ni marteau, ni outils, ni argent. C'est pourquoi un
beau jour la vieille femme lui donna une cartouche
de dynamite avec détonateur. « Tiens, prends-moi
ça », dit-elle. Et il la tint. Et elle resta près de lui
tout le temps qu'il serra la cartouche dans son
poing. « Eh bien, dit-elle, ça a l'air de marcher,
ça. Il y a au moins une chose que tu ne laisseras pas
tomber. Au dépôt et attention aux caisses! » Depuis,
bien sûr, il s'était familiarisé. Et même, avec le
sens de sa race, il était devenu très savant dans la
chose où il s'était appliqué. Il avait passé à travers
plus de cent éclatements prématurés et la fois où
la cartouche fusa, ce fut Hector qui reçut le
tatouage de poudre enflammée. Des fois même il
emportait jusqu'à table des morceaux de dynamite,
dont il se servait comme de chandelle pour traverser le bois en revenant le soir de son dépôt. Il en
gardait dans ses poches. Il en tripotait entre ses
doigts, penché sur le berceau de ses bessonnes.

Terso était célibataire et avait vingt ans. C'était
l'ambitieux. Et de plus il avait des habits du
dimanche.

Mais il y avait une fille aussi dans la famille. Elle
s'appelait Argentine; elle avait trente-deux ans. Elle
venait après Sirius. Elle était laide; terriblement
laide. Elle était bonne; terriblement bonne. Elle
avait une soif d'enfant que rien ne pouvait rassa-
sier. C'était la bien-aimée de la vieille femme.
Pendant que nous étions près du feu, Ajax, Hector,
Achille, moi, des fois la Française; que la Guitare
courait et sautait avec les enfants; que Virginie
comptait les cuillères à café; que Sirius, que Primo,
que Secondo avec ses bébés, que Terso avec ses

souliers vernis, que Sacha... enfin que la famille
passait la soirée, Argentine venait s'agenouiller
contre la chaise de sa mère. La vieille femme
penchait la tête et appuyait sa joue contre la joue
de sa fille. Elles restaient là, toutes les deux sans
rien dire. Parfois, Argentine parlait à l'oreille de
sa mère et sa mère faisait oui de la tête. Ce oui,
donné tout de suite sans aucune discussion, était
très important. Malgré toutes les occupations de
tout le monde, tout le monde surveillait le moment
où Argentine parlerait à l'oreille de la vieille
femme, et où la vieille femme répondrait imman-
quablement oui. Cela voulait dire que le lendemain
Argentine s'en irait dans la vallée et qu'après-
demain, elle remonterait en rapportant un enfant
nouveau. Toujours une fille. Elle avait adopté
six petites filles déjà et pendant le temps que je
restais dans la famille elle en amena encore deux
nouvelles. Ces enfants étaient mélangés aux autres
enfants sans distinction. D'ailleurs, ils étaient de la
famille, et on leur donnait la courroie en même
temps qu'aux autres.

Ce fut Terso qui tira de l'eau l'homme dont la
barbe flottait. Car Terso se flattait de pouvoir rester trois minutes sous l'eau. C'était à peu près vrai.
En tout cas, il resta assez pour dégager le cadavre
coincé entre deux blocs. Mais en sortant de l'eau
il fut malade et se mit à vomir. Il est vrai que
l'homme était dans un assez drôle d'état. Ce fut la
Française qui accompagna Terso. Ce furent Achille
et Sirius qui portèrent le brancard; la Française
les suivait, se déchirant les joues et s'arrachant les
cheveux. Les ouvriers montèrent des baraquements
de la forêt, et on creusa la fosse dans la prairie.

Puis on fit la cérémonie. La fosse était recouverte.
Nous l'avions jonchée de gentianes bleues. Sirius
tenait dans ses bras la croix de bois blanc qu'on
allait planter dans la terre. La Française, agenouillée et traînant ses cheveux dans l'herbe, pleurait et secouait la tête, comme une chienne qui
veut s'arracher un os de la gorge. D'un côté on
avait placé les six garçons, moi y compris, de
l'autre côté les douze filles, y compris la corbeille
contenant les deux bessonnes — qui dormaient.
Face à la tombe, seule, la vieille femme. Derrière,
d'un côté ses sept fils, de l'autre côté sa fille; plus
loin derrière, ses belles-filles y compris Virginie
avec son ventre énorme. Derrière, les cent cinq
ouvriers de l'entreprise. Maintenant cent quatre.
Alors, Sacha fit en avant les pas nécessaires et elle
vint se placer en face de nous. Le dos à la tombe,
juste en face de la vieille femme qui ne bougeait
pas. Et Sacha se mit à chanter de cette voix qui
saisissait le monde et peu à peu nous l'accompa-
gnâmes tous en bourdon.

« Celui qui s'appelle comme ton père et comme
toi? » Comme j'entendais parler de l'aîné, j'avais dit
à Ajax : « Tu es l'aîné. » Et il m'avait répondu :
« Non. Ce n'est pas moi l'aîné. C'est celui qui
s'appelle comme ton père et comme toi. » A partir
de ce moment-là, je m'aperçus qu'on parlait beaucoup de cet homme qui s'appelait Djouan.

Entre deux fenêtres on avait scellé un établi de
mécanicien. Souvent, après le repas du soir, Primo
venait serrer un morceau de fer dans l'étau, prenait
une lime et appelant près de lui l'aîné des fils

d'Ajax il lui apprenait quelque malice. Sirius s'approchait et les regardait. Il y avait alors un tel bruit de grincements qu'on était obligé de se parler presque à l'oreille. Mais le nom de cet homme tuait tous les bruits même celui de la lime. Et voilà de quelle façon la chose se faisait chaque soir. Admettons que ce soit Virginie. (C'était souvent elle, c'est pourquoi je la choisis, mais c'était souvent aussi la Française, c'était Sacha, c'étaient les frères quels qu'ils soient, plus rarement Argentine : la vieille femme jamais.) Donc, voilà Virginie qui, ayant fini de diriger la vaisselle faite par les filles de Sirius, ayant compté les couverts et les assiettes et les verres, ayant mis ses mains à ses reins, ayant fait la grimace parce qu'ils lui font mal, la voilà brusquement qui se met à parler, debout, avec mettons la Guitare. On voit la Guitare qui s'arrête de faire l'anguille ou la flamme noire et qui écoute, mieux, qui parle en prenant le temps de faire des mots. Il y a le bruit infernal de la lime qui là-bas est en train de démontrer les mystères des queues d'aronde. Mais déjà, à tous les groupes, nous, assis près de la cheminée, Argentine agenouillée près de sa mère, les enfants de Sirius et d'Ajax qui apprennent à jouer aux échecs sous la direction de la fille d'Hector, tout le monde les regarde et, en imagination, les écoute. On sait de quoi elles parlent. On ne peut pas à la fois jouer aux échecs et regarder Virginie. Ce sont d'abord les enfants qui s'approchent d'elles. Puis Ajax me dit de descendre, et je descends de son genou et viens et je vais avec lui et on approche et Argentine se redresse et vient et, alors, la lime s'arrête de grincer : Quoi, demande Primo, mais il voit de quoi il s'agit et alors il pose sa lime et il vient aussi.

Peu à peu, il n'y eut plus de conversation dont je
ne sente qu'elle allait apporter le nom de Djouan, et
elle l'apportait. Il y avait trente-quatre personnes
présentes dans la famille et un absent. Il n'y avait
pas de hiérarchie dans les trente-quatre présents :
c'étaient les objets de la vieille femme, elle en faisait ce qu'elle voulait. La vieille femme était au
haut bout de la table pour toujours et dans toutes
les occasions. Elle dirigeait non seulement le travail, les projets, l'avenir, mais encore les rires et
les pleurs et la figure générale de la famille devant
le monde. Elle savait avec autant de science à
quel endroit de la roche faire le trou de mine, la
charge de poudre; à quel endroit du ciel de l'abîme
se croiseraient les longerons, et la portée de l'arc; à
quel moment de la journée il fallait aller voir le
chef de district pour qu'on nous foute la paix au
sujet de la façon pas correcte, mais efficace, je le
sais, dont nous faisons le tassement des déblais, et
qui devait parler à la femme du capitaine de gen-
darmerie, pour qu'on ne donne pas de suite à la
toute petite bagarre des baraquements ouvriers
où il y avait eu à peine sept petits coups de couteau;
il faut bien qu'ils s'amusent! Elle savait tout, elle
ordonnait tout. C'est elle qui avait ordonné à la
Française de pleurer et de se déchirer le visage à
l'enterrement de l'homme du tunnel. Elle ordonnait les fêtes, les jeux. C'est elle qui avait donné la
passion des échecs à la fille d'Hector; louant en bas
dans la vallée une sorte de vieux maître d'école
devenu pilier de brasserie à la « Blaue Ganse » elle
te l'avait amené ici sur les hauteurs, le débarbouil-
lant de tout en route, et il avait appris les échecs à
la fille. Mieux, car elle l'avait comme toujours
judicieusement choisi, il avait donné la passion des

échecs à la fille. C'est elle, sans qu'il le sache, sans
qu'Argentine le sache, qui avait donné peu à peu,
joue contre joue, à Argentine la passion des enfants.
Sans passion, disait-elle, mourez, mourez dans
votre pourriture, vos dents pourries, vos estomacs
pourris; la passion, c'est propre et ça sent propre
et ça sent bon comme le sable du désert. Sans passion, il n'y a pas d'homme. Sans désert, il n'y a pas
d'homme. C'est elle qui avait donné peu à peu à ses
fils la passion du désert, des hauteurs, de l'abîme,
du risque, du défi, de ce couvent des entreprises
audacieuses, du désert. Quoi! Les enfermant dans
le désert malgré leurs femmes, leurs enfants. C'est
elle qui avait démesuré leur appareil passionnel.
C'est elle qui dirigeait les amours du fils aîné
d'Ajax. Il ne le savait pas, bien sûr. Il se cachait
soigneusement d'elle pour aller aux rendez-vous
de la forêt. Mais c'est elle qui lui avait choisi la
jeune fille qu'elle voulait attirer dans la famille.
Elle l'avait choisie d'après ses propres désirs; elle
l'avait choisie, mesurée et pesée et après, elle avait
poussé le garçon sur elle. Il n'y avait pas un mot
qu'ils disaient qui n'était pas entièrement pensé
et prononcé à l'avance par la vieille femme.

Seul l'absent!

Et par conséquent il avait une place hiérarchique.
Juste en dessous d'elle, puisqu'elle dirigeait! Non :
à côté d'elle, puisqu'elle dirigeait tout sauf lui. A
côté d'elle, et parfois au-dessus. Car, quelquefois,
la Guitare chantait trop fort à la Napolitaine...
Ainsi la fois où elle voulut un accordéon... Elle
était devenue amoureuse d'un accordéon; elle
aurait dix fois donné son corps pour un accordéon; mais c'était une passion spontanée et la
vieille femme ne l'ayant pas dirigée la supprimait.

Le soir, la Guitare parla de Djouan. Et comment
lui jouait de l'accordéon. Et d'instinct toute la
famille se mit à renchérir. Argentine même fre-
donna contre la joue de la vieille femme la chanson que Djouan jouait le mieux à l'accordéon.
Ainsi, peu à peu, dans de brèves révoltes, Virginie, Terso, Primo, Ajax, Achille, Hector, Claire,
la Guitare, la Française, Secondo et même Argentine, et même une fois Sirius, m'apprirent tant
de merveilles sur celui qui s'appelait comme mon
père et comme moi qu'il devint à la fois absent
et éblouissant. Ainsi je sus qu'il avait découvert
un champ de pétrole, qu'il avait revendu l'option
contre la possession temporaire d'une vieille usine
désaffectée sise à Galatz; qu'il avait revendu aux
démolisseurs les bâtiments de l'usine, ne se réser-
vant que l'usage du laboratoire dans lequel il
s'était mis à travailler tout seul pendant qu'on
jetait bas tous les murs autour de lui jusqu'au
moment où les ouvriers l'ayant oublié jetèrent
bas en dernier lieu la haute cheminée qui s'en
alla écorner deux murs sur quatre du fameux laboratoire. Je sais que là n'était que le commencement. Car, de Galatz, ç'avait été Damas, puis
Téhéran, puis Kaboul et un retour précipité de
Kaboul à Téhéran dans une invraisemblable partie
de cache-cache avec trois Anglais qui voulaient
lui voler cette petite boîte de fer qu'il portait sans
cesse dans le gousset de son gilet. Et qui finalement la lui volèrent un soir à Beyrouth. Et c'était
la fameuse découverte qu'il avait faite tout seul
dans le laboratoire écorniflé. Quoi, on ne sait pas.
« La découverte de Djouan — ce que Djouan a
découvert... — Beyrouth?... » Oh! évidemment,
l'histoire de cet homme surgissait sans ordre, ni

logique. Avant de savoir ce qu'il avait fait après
Beyrouth c'était parfois Virginie qui, de là-haut
d'entre ses cheveux à la Vierge, de là-haut au-dessus
de son ventre disait comment un soir de Noël à
Aarau, Djouan pénétrant sans être invité au cercle
des Ingénieurs fit devant plus de cent techniciens
ébahis un cours spontané de sa technique à lui.
Si bien qu'ils lui firent boire du champagne, lui
firent manger du pâté de lièvre, lui donnèrent une
corbeille de massepains à l'anis et finalement le
raccompagnèrent chez lui à dix-sept kilomètres
dans les bois en traîneau à quatre chevaux, éclairé
de plus de cent bougies et de plus de cent clo-
chettes; avec des flambeaux, dit Sacha; avec respect, dit Ajax; solennellement, dit Sirius. Alors
c'était la Guitare qui se lançait à corps perdu dans
une histoire de machine dont elle déformait tous
les mots et tout le monde l'aidait, car c'était la
machine de Djouan, on les lui fournissait à mesure
tous reformés, mais elle finissait par s'empêtrer
définitivement dans « l'innervation ». L'innervation dont immédiatement Sirius essayait de lui
donner une idée en tripotant dans un commutateur
électrique; il faisait sauter les plombs, plongeant
tout le monde dans la nuit. C'est alors qu'on voyait
les vingt-six fenêtres pleines d'étoiles, et toutes
les inventions de Djouan grandissaient dans les
cervelles avec des bruits d'avalanche.

En dehors des moments de révolte, il y avait les
moments d'amour, et de nouveau on prononçait
son nom plus paisiblement, mais il avait toujours
pouvoir d'arrêter la lime à l'étau et de faire rêver
les yeux des femmes et des hommes. Il y avait dans
cet ordre d'idées le monologue de la Française.
Au cours par exemple d'une de ces soirées comme

il y en avait eu où le vent chargé de grêle et de
glace bloquait les fenêtres et secouait la maison,
la Française s'accroupissait dans sa chaise. C'est-
à-dire qu'elle remontait ses pieds jusqu'au barreau,
puis elle couchait sa longue carcasse maigre le
long de ses cuisses remontées, elle posait son visage
de plâtre sur ses genoux, elle laissait pendre ses
bras comme une guenon et elle commençait à
parler « d'une vie », non pas de la vie, j'avais bien
entendu, et tout le monde avait bien entendu; non
pas de la vie, mais « d'une vie ». Elle parlait à
voix basse. Mais on voyait ses yeux égarés et le
mouvement de ses pauvres lèvres fatiguées où —
et dans sa solitude c'était terrible — elle mettait
du rouge. Une vie rouge comme ses lèvres avec
des « honneurs ». On entendait qu'elle disait une
vie d'honneur. On entendait la vieille femme qui
disait « La courroie » et elle faisait claquer ses
doigts comme un pistolet, l'index braqué sur la
Française. Achille déboucla sa ceinture. La Française le suivit dehors, mais sans se réveiller, et il
y avait tant d'assurance et d'indifférence dans
son allure, qu'elle semblait ainsi affirmer à tout le
monde que Djouan allait venir.

Et, en effet, il arriva. Un soir, on frappa à la
porte et en même temps la porte s'ouvrit. Toute
la table bourdonna à voix basse : Djouan. La vieille
femme tourna la tête : il était là. Je compris tout
de suite ce que signifie ne ressembler à personne.
La vieille femme avait la tête renversée en arrière.
Il s'approcha, prit cette tête dans ses mains et il
se mit voracement à la baiser. Quand il se redressa,
le visage de la vieille femme était dans une grande
extase triste; même ses lèvres étaient un tout petit
peu fleuries, mais elle les ravala tout de suite. Per-

sonne n'avait bougé. Son nom seul bourdonnait encore un peu. Mais il fit le tour de la table en embrassant tout le monde chacun à son tour. « Soir Ajax. — Soir Djouan. — Soir Sacha. — Soir Djouan. — Soir Claire. — Soir Djouan. — Soir Suzanne. » C'était la Française; il l'appelait par son nom et à elle il ajouta : « Ça va? » en lui flattant l'épaule de la main. « Soir Djouan, dit-elle. Ça va très bien! » Il m'embrassa aussi et en même temps il me toucha la main et, me tenant ainsi la main, il dit, en me regardant, une longue phrase de mon père. Il avait les lèvres dures, les mains sèches, les yeux noirs. « As-tu mangé? » On lui faisait de la place. Il alla s'asseoir parmi les enfants de Sirius. La vieille femme avait baissé son visage sur son assiette. Elle avalait sa soupe à lentes cuillerées.

Il s'établit un grand silence.

— Quand es-tu arrivé? dit la vieille femme sans relever la tête.

— A cinq heures en bas.

— Comment es-tu monté?

— A pied.

— Tout le long?

— Oui.

— Tu as traversé le tunnel à pied?

— Oui.

La fille d'Hector se leva de sa place et vint sur la pointe des pieds se placer derrière Djouan, elle s'appuya à ses épaules et caressa sa joue à ses cheveux.

— D'où viens-tu? dit la vieille femme sans relever la tête.

— De Constantinople.

— Qu'est-ce que tu fais?

— Pétrole.

— Concession?

— Non.

— Fournitures?

— Non. Fantaisie. La nappe est sous la caserne Halil Pacha. Il faudrait sonder dans le bureau du sergent-major.

— Alors?

— Rien. Ça me permet de voir les autorités.

— Besoin des autorités?

— Toujours besoin des autorités. Tu sais bien, maman.

Silence! C'est la première fois que ce mot est prononcé ici.

Il m'a touché comme une goutte d'eau dans le cou. Je regarde Djouan. Ajax aussi le regarde avec de grands beaux yeux fauves.

— Tu habites Constantinople? dit la vieille femme sans relever la tête.

— J'habitais Harbieh.

— Où vas-tu maintenant?

— A Trollhalttan.

— Où est-ce?

— En Suède.

— Qu'est-ce que tu vas faire?

— Il y a une des plus grandes usines électriques d'Europe. 166 000 chevaux.

— Ça t'intéresse?

— Non. L'usine non. La chute d'eau m'intéresse.

— Pourquoi?

— Je vais acheter une chute d'eau.

— Où?

— Là-bas. Deux chutes d'eau : Untra et Lanfors sur le bas Dal Elf.

— Ça s'achète une chute d'eau?

— Je te crois. On est déjà deux sur l'affaire.
— Qui?
— La ville de Stockholm et moi.

Il mangeait sa soupe. Tout le monde écoutait. A peine si Virginie de temps en temps portait lentement la cuillerée à sa bouche, et, une fois, elle regarda du côté de ses fourneaux où s'épaississait la polenta.

— Toi seul?
— Oui. Mais j'ai écrit à la Sydsvenska A.B. qui exploite les rivières de Smaland et à la Stora Kopparberg et aux deux autres compagnies de la Suède Centrale, Uddeholm et Yngered qui tiennent déjà trente pour cent de toutes les forces en service. Les conseils d'administration m'attendent.

— Tu es déjà allé en Suède?
— Jamais.

Virginie laissa tomber sa cuillère dans son assiette. Tout le monde la regarda, sauf la vieille dame qui garda les yeux baissés et Djouan qui se coupa du pain. Puis Virginie soupira, et elle alla chercher la polenta.

— Voilà l'affaire, dit Djouan, et il releva ses yeux sur tout le monde et il se mit à frotter amicalement la tête du fils aîné de Sirius.

« Le bassin du Vernern (sa main dessina en l'air un fleuve imaginaire) avec : le Klar Elf, le Det Elf, le Svart Elf, et le bas Goeta : 450 000 chevaux. Les sept établissements du Dal Elf inférieur, 270 000 chevaux. Quarante pour cent de la force alimente des fabriques de pulpe et de papier. Métallurgie, vingt pour cent. Ligne chemin de fer électrique Stockholm-Goeteborg, douze pour cent. Sucreries, treize pour cent; or, de 1924 à maintenant, ce soir, ce soir où je suis là avec vous, la Suède a consommé

quarante-neuf pour cent de charbon et près de
deux cents pour cent de pétrole de plus qu'avant
1905. »

Il tira de sa contre-poche un immense porte-
feuille de cuir, lié d'un lacet qu'il se mit à délacer.
Il s'interrompit pour fouiller dans la poche droite
de son veston et il en tira une boîte ronde de pastilles Valda qu'il posa sur la table. « Ne touchez
pas, les enfants », dit-il. Et les enfants enfour-
nèrent leurs mains sous la table. Il fouilla dans
la poche de ses pantalons. Et pour le faire à son
aise, il dut se renverser en arrière et repousser
la fille d'Hector qui se caressait à ses cheveux. Il
tira l'un après l'autre deux paquets enveloppés
de papier journal. « Secondo, dit-il, arrive ici.
Prends ça, dit-il. Doucement. Place-moi ça dans un
tiroir qui ferme à clef. Doucement, répéta-t-il en
voyant s'avancer les mains de Secondo. Porte-moi
ça comme si c'était le Saint-Sacrement. Ça n'a
rien à voir avec la Suède, mais c'est pour ça que
je suis venu. Je crois que c'est une chose qui va
vous amuser. Attention les enfants, poussez-vous
un peu, ne touchez pas Secondo même avec les
yeux. Va. Après tu viendras chercher la petite
boîte. Cette petite boîte de pastilles Valda. Encore
plus à clef celle-là. Après, tu me feras passer ma
sacoche. (On s'aperçut qu'en effet il avait une
sacoche quand il était entré. Il l'avait pendue à
un clou près de la porte.) Doucement la sacoche.
Tout ça, c'est de la principauté, de la royauté,
de l'éminence. Sa Majesté ma sacoche. Doucement.
Sirius ne te mets pas au milieu. Ajax, où est Ajax?
— Voilà, dit Ajax. — Est-ce que tu as toujours en
bas à l'équipe le grand Savorgnan? celui du tunnel
de Groetli? — Oui. — Est-ce qu'on peut l'avoir

avec nous demain matin à quatre heures? — Il n'y
a qu'à aller le lui dire. — Vas-y, toi, dit-il en repous-
sant la tête du fils aîné de Sirius qu'il avait continué
à frotter de la main. Dis-lui qu'il monte ici à quatre
heures. Achille, tu peux me faire un ciment qui
sèche en une heure? — Je peux te faire un ciment
qui sèche à mesure que tu parles. — Non, mais
j'entends; un contre-feu. — Possible. — Secondo,
tu as placé les paquets? et la boîte? et la sacoche?
Tu as cinq mèches de quatre millimètres de sec-
tion? » Puis il laissa les hommes en suspens et il
s'adressa aux femmes. Secondo fouillait dans les
étagères d'un établi. Les enfants avaient enlacé
l'homme avec des bras de lierre. Ils le lâchaient
parfois très vite d'une main pour prendre une poignée de polenta, mais tout de suite après l'avoir
enfournée, ils s'essuyaient les doigts dans les cheveux et ils saisissaient vite de nouveau les revers
de la veste, le col ou la cravate de Djouan. La
Française tournait autour du groupe. Sacha à
plusieurs reprises se passa la main sur les yeux,
comme si elle allait chanter mais chaque fois resta
muette. La Guitare tremblait sur place. Claire
même, la femme d'Ajax, toute laiteuse, arriva.
Elle poussa la fille d'Hector; elle écarta les enfants
de Sirius, et comme ce devait être l'habitude,
Djouan pivota vers elle sur sa chaise, ouvrit ses
genoux et elle s'assit sur l'un d'eux très simplement.
Toute grosse, avec ses énormes seins qui faisaient
bizarre dans cette position, Virginie chantonnait
en trimbalant son ventre à toute vitesse du dres-
soir au fond du groupe des femmes. Elle y revenait
comme on vient à une fenêtre pour reprendre
haleine et elle s'en allait de nouveau vers son dres-
soir, essuyant, comptant, fourgonnant dans de la

cuillère et de la fourchette de fer, chantant entre
ses dents ce chantonnement entièrement faux
des pieds à la tête, très aigre à entendre mais qui
avait l'air de la contenter au-delà de tout. Argentine avait réuni ses six filles de presque même âge
et, tout doucement, elle les poussait en groupe vers
son frère aîné. La femme de Secondo apporta son
panier à bessonnes. Puis Djouan se secoua et il
sortit, maigre, du milieu de toutes. Il prit aux
épaules Ajax et Hector, et il se reposa sur eux
debout, les bras étendus comme sur une croix.

La vieille femme se dressa et me prit la main.
« Viens », dit-elle. Je la suivis. Je ne savais pas de
quoi il s'agissait. Nous traversâmes la grande salle,
du côté opposé où était le groupe; du côté de l'établi dans lequel Secondo fouillait dans des rouleaux
de mèches à mines. Au moment où nous passions,
j'entendis Djouan qui, de l'autre côté de la table,
disait : « La déflagration! » Mais il parlait soi-
disant à voix basse. Nous traversâmes le dortoir
des garçons. Toutes les pièces étaient en enfilade
dans cette maison de bois. Le dortoir des filles,
puis le couloir sur lequel donnaient les neuf
chambres des ménages et d'Argentine et la vieille
femme poussa la porte de sa propre chambre. C'était
là que je couchais, dans un angle. Est-ce qu'il
s'agissait déjà de me coucher et de dormir? Oui.
Elle me le dit très net. Elle-même d'ailleurs se
couchait et elle commença à se déshabiller.

J'étais sous mes draps. Elle regarda de mon
côté. Je fermais les yeux. Elle marcha dans la
chambre. J'entendais les ongles de ses pieds nus
sur le plancher de bois. Je respirais comme un
qui dort. Elle attendit un long moment. Elle ouvrit
un tiroir de sa commode. J'ouvris un œil. Elle

se tourna lentement vers moi. J'avais eu le temps
de fermer l'œil. Elle enleva complètement le tiroir.
Je rouvris l'œil. Elle fouilla dans la cachette. Je
trouvais une façon de clore l'œil à moitié et, entre
mes cils, je pouvais regarder en sécurité. De cette
façon-là, je pouvais même ouvrir les deux yeux.

Elle avait tiré de là-bas dedans un morceau de carton. Elle le porta sous la lampe. C'était une photographie. De quoi, je ne savais pas. Elle la regarda
longuement. « Sauvage! » dit-elle à mi-voix, plusieurs
fois, et avec une grande tendresse. Et elle éteignit.

Je me réveillai brusquement. La lune était en
plein milieu de la fenêtre. Il avait dû y avoir un
bruit. Il ne se renouvela pas. Je me réveillai de
nouveau. La lune était dans le dernier carreau de
gauche. Il y avait un bruit. Il continuait. Une
porte s'ouvrait dans le couloir. Puis une autre.
Un pas pieds nus. Une autre porte. Des pas. On
parlait. J'entendis très nettement : chut! La vieille
femme se cura la gorge. Les pas pieds nus; plusieurs.
Puis la porte du dehors qu'on ouvrait. Plus sonore,
le vent dans les sapins. On ferma la porte. Silence
et silence, et silence, puis, des pas de souliers ferrés
dans le sentier.

La main de la vieille femme toucha la table de
nuit. J'entends ses doigts qui frottent le marbre,
puis sa bague de fer qui tinte. Elle cherche la soucoupe où, tous les soirs, elle met sa vieille grosse
montre d'or, qui sonne. J'entends qu'elle appuie
sur le déclic. Quatre tout petits clochements argen-
tins dans la soucoupe. C'est quatre heures.

Dès le matin — naturellement la vieille femme
était levée depuis longtemps, et son lit fait — je

courus à la chambre des enfants. Pour le moment,
ils étaient tous en chemise, debout sur leurs lits à
danser sur les ressorts de leurs sommiers; à part
deux ou trois assis sur leur descente de lit et qui
grattaient à la cuillère le fond de leur bol de café
au lait. La fille d'Hector enfilait sa chemise de
jour; elle essayait de cacher ses fesses en serrant
ses cuisses. Elle passa son pantalon à volants; une
importante bannière lui pendait au derrière, comme
une queue de faisan. J'allai chercher mon bol de
café au lait. Il n'y avait personne dans la cuisine.
Mon déjeuner était versé et se chauffait tout prêt
au-dessus de la bouillotte; deux tartines beurrées
dans la soucoupe, je pris tout ça, et je retournai
au dortoir. J'aimais déjeuner le matin, assis sur
le lit d'Élisabeth. D'ordinaire, elle était encore
couchée et, par-dessous les draps, elle appuyait
ses deux pieds contre ma cuisse. J'aimais ça. Ce
matin, elle houspillait Vladimir. Elle lui criait
d'aller dans la chambre de son père chercher les
lunettes d'approche. Je lui dis : « Laisse donc ce
gamin-là, c'est un petit. J'y vais, moi. » Et,
effectivement, j'y allai en continuant à pomper
mon café au lait. Les lunettes d'approche étaient
pendues dans leur étui au porte-manteau dans
la chambre de Primo, et je savais qu'il suffisait
de chercher à travers toutes les jambes de pantalons pendues au-dessus d'elles pour trouver la
courroie. Quand je rapportai les lunettes dans la
chambre des enfants, il se fit un certain silence
et on s'arrêta de danser sur les sommiers. Mais je
donnai les lunettes à Élisabeth. « On va voir »,
dit-elle.

Je lui demandai ce qu'elle regardait. « Le tunnel », me dit-elle. C'est vrai! J'avais été tellement

impressionné par le tunnel de l'homme à la barbe
flottante que pour moi il n'y en avait pas d'autre.
Il y en avait un autre. « Regarde », me dit Élisabeth. C'était au-dessus de la grande forêt de sapins.
La lisière de la forêt bordait notre pâturage à cent
mètres au nord de la maison. C'était ce côté sur
lequel frappait le soleil dès le matin. A la lunette
on voyait défiler toutes les têtes d'arbres et même
— ça m'arrêtait — des profondeurs sous les branches
et des éclaboussements de lumière. Cette forêt
montait, et tout en haut s'arrêtait, comme tranchée à la hache contre une falaise de roches rouges.
Celle-là si on la suivait avec le rond grossissant,
elle était lisse, ni pied ni patte, et elle s'en allait
très haut à perte de vue jusque dans un endroit où,
à l'œil nu, elle semblait s'agencer avec des plaques
de glace par des sortes de charnières luisantes et
où, à la lunette, on voyait des suintements de glaciers sur du schiste. « Tu vas trop haut, me dit
Élisabeth, regarde en bas vers ta droite à un doigt
au-dessus des arbres; tu ne vois rien? — Attends.
— Donne, réclama la fille d'Hector. — Laisse-le,
dit Élisabeth. C'est lui qui est allé chercher les
lunettes. — Je vois », dis-je.

C'était donc ça, le tunnel! Celui qu'on était en
train de creuser. Le vrai! Eh oui! J'avais beau
m'enchanter à la dérobée avec les flammes dan-
santes de la Guitare marchant dans la prairie,
savourer l'aigre visage de la Française, ou dire
à Sacha de chanter, ou passer une heure de silence
la main dans la main avec Élisabeth, mais, certaines fois, j'avais bien été obligé d'entendre un
grincement de câble, la corne du chef mineur, le
rugissement des déblais croulant sur des tôles, le
pouls lointain des machines pneumatiques. Bien

entendu, je savais qu'en bas, sur le chemin de la vallée, il y avait les quatre baraques d'ouvriers et la cantine et plus bas encore le campement des autres entrepreneurs et d'autres baraques d'ouvriers, d'autres cantines, notamment celle d'Anita où il y avait régulièrement des bagarres. Une fois même, j'avais accompagné Sirius à travers la forêt, sur une pente très raide qui était comme la lèvre poilue du précipice bleuâtre qu'on voyait à travers les troncs de sapins, et nous étions tombés — c'était le cas de le dire — sur une ligne de chemin de fer, suspendue entre ciel et terre par un tout petit ballast orgueilleux surplombant l'abîme. C'était un endroit qui m'avait glacé. Il y passait d'ailleurs un vent de glace. Mais surtout parce que la voie pliée contre le flanc de la montagne semblait sans issue, ni d'un côté ni de l'autre. Sirius s'était planté là avec un drapeau rouge. Il m'avait dit : « J'attends les wagonnets montants. » C'était pour que le chef de rame porte une boîte de détonateurs à l'avancée. « Ajax est à l'avancée », me dit Sirius. Ajax, Hector et Achille. Le train de ballast était arrivé et il était reparti, avec sa boîte, tout de suite caché par la courbe de la montagne. C'était donc là-haut qu'il allait! Et j'avais vu, souvent, tous les jours, au soir tombant, Ajax, Hector et Achille sortir du bois portant sur l'épaule les longs javelots noirs des barres à mines. C'était donc de là-haut qu'ils descendaient! Je voyais très bien l'ouverture du tunnel!

Je passai la lunette à ces vingt mains qui se tendaient vers elle. « Viens », me dit Élisabeth. Je lui dis : « Attends, il faut que j'aille mettre mes souliers. » Elle me suivit.

J'étais à genoux sur mes lacets. Elle me demanda :

« Tu as vu? » Je relevai la tête. Élisabeth me désignait du doigt, de loin, quelque chose sur la table de nuit de la vieille femme. Nous nous approchâmes. Je reconnus la photographie. C'était celle d'un homme entre deux âges : « Tsio Djouan, dis-je. — Non, dit Élisabeth, son père. Il a un père pour lui tout seul. » Et tout de suite elle eut peur, regarda la porte et me dit : « Viens. »

Je lui demandai : « Où est Djouan? — Il est parti cette nuit à deux heures », dit-elle.

Dehors, nous nous arrêtâmes, saisis, et nous nous prîmes la main. Il y avait un goût! Il y avait un goût surprenant! C'était le silence des chantiers! Nous étions derrière la maison dans un endroit de hautes herbes où nous venions nous cacher d'habitude, mais d'habitude au fond de l'air grondait le roulement du travail et ses échos. Ce matin, au contraire, le silence; tellement le silence qu'on entendait flotter très loin le fil sonore d'une longue pisse d'eau tombant des rochers.

« Oh! viens », dit Élisabeth. On fit le tour de la maison. Alors nous entendîmes Sacha qui chantait.

Elle n'était pas seule. Il y avait Sacha, la Française, et la Guitare. Elles étaient assises toutes les trois sous le cèdre. Elles écossaient des haricots. Elles ne pouvaient pas nous tromper : elles faisaient semblant d'écosser des haricots. Surtout elles chantaient. Et elles regardaient vers le tunnel. Mais elles chantaient à l'unisson, toutes les trois, laissant toujours un petit peu la gloire du trait à Sacha. Elles ne pouvaient pas nous tromper. Elles étaient assises : Sacha dans sa robe verte, la Française dans sa robe rouge, la Guitare dans sa robe jaune; mais, en réalité, elles s'en allaient. Elles s'en allaient bon pas dans le vent. Argentine sortit.

Elle s'adossa à la porte. Elle avait un corset blanc,
une longue jupe paysanne. Elle renversa en arrière
son beau visage si laid et elle lança sa voix dans
les autres. La fenêtre s'ouvrit. Parut Virginie. Elle
essaya de s'accouder, mais son ventre l'empêcha.
Elle se redressa, et debout dans l'encadrement, elle
se mit à chanter avec les autres. Les voix peu à peu
se plaçaient. Soudain, le chant fut accompagné
en tierce pure, et Claire, toute laiteuse, sortit, s'assit
sur l'escalier du seuil, tout affalée, ses gros seins
sur ses genoux, mais la tête droite. Arriva la femme
de Secondo avec sa voix d'enfant. Puis par un tour
dans lequel, à l'improvisé, toutes les voix suivirent,
Sacha sauta dans une chanson neuve, plus allègre
encore, de danse, de jupes tournantes, de jupes
gonflées, de vertige, de glissements, d'échappées.

Nous étions dans une encoignure, Élisabeth
et moi, et nous regardions par le bout du nez,
mais quelque chose nous tira à moitié de la
cachette. Venaient d'arriver deux voix mâles.
C'étaient Terso et Secondo. Extraordinaire, à cette
heure du jour, les hommes ici! Surtout Secondo
qui avait la responsabilité du dépôt de dynamite
même le dimanche. Terso était habillé du dimanche.
Élisabeth me regarda. « Vendredi », lui dis-je. Ils
étaient debout l'un à côté de l'autre, raides, et ils
chantaient, et Ajax vint se placer à côté d'eux, raide
aussi, dans son velours doré, et alors arriva sa voix
mâle, pleine, forte, juste, solide. Aussi large que le
ciel, si surprenante, que la voix de Sacha toujours
en tête coucha son aile, comme une colombe cares-
sée. Puis Hector et Achille arrivèrent ensemble,
puis Sirius qui bourdonna et le dernier fut Primo
vêtu de bleu de chauffe, toujours noir comme un
cigare, les sourcils gonflés d'escarbilles. Il se planta

à côté de ses frères et il chanta, fit trois faux pas,
les rejoignit et partit avec eux. Depuis longtemps
tous les autres enfants étaient derrière nous, mais
ce fut Élisabeth et moi qui fîmes les premiers pas
pour nous avancer de tout le monde en bourdonnant.

Alors Ajax tira une montre de son gousset. Et il
l'éleva devant ses yeux, ne voulant pas baisser la
tête et fausser sa voix. Il dressa la main et tout le
monde s'arrêta de chanter. « C'est l'heure », dit-il.
Sacha, la Française, la Guitare se dressèrent et
secouèrent leurs tabliers. « Chut », fit Achille, un
doigt au milieu de ses grosses lèvres, de sa grosse
barbe, vers les enfants. Tous immobiles, et silence;
alors au bout d'un tout petit moment on entendit
corner là-haut dans le rocher une trompe de
mineur.

Immobiles. Toujours le silence. Tout le monde
regarde en l'air. Sans cesser de regarder en l'air,
Ajax s'approche pas à pas de la maison. Sans cesser
de regarder en l'air, Sacha, la Française, la Guitare, la petite fille aux deux bessonnes s'approchent
pas à pas de la maison. Argentine, sans cesser de
regarder en l'air, et le bras déjà levé, comme pour
se garantir le visage d'un coup qui va tomber...
Sans cesser de regarder en l'air, pas à pas, Achille
nous fait signe à nous, les enfants, d'entrer et de
nous mettre à l'abri.

Silence toujours. Et...

Non : d'abord sans bruit la terre qui se liquéfie
sous mes pieds, cède, s'enfonce, se creuse, s'ef-
fondre, et au moment où le ventre me remonte
dans la bouche la terre qui revient se coller brusquement contre mes pieds avec une colle terrible,
presque les dents d'un piège à renards; et elle me

secoue. Je mets la main à l'épaule d'Élisabeth.
Elle tombe contre le mur. Ajax est assis par terre.
Achille debout mais les bras écartés comme sur
la corde raide. Sans cesser de regarder là-haut.
Et après, mais seulement après tout ça, alors, le
bruit. Et même avant qu'on sache d'où il vient,
l'éclatement de tout le coton des échos, se débour-
rant d'un seul coup à la fois de tous les côtés;
avec d'abord ce grondement mou des choses qui se
délivrent, se nettoient avant de hurler. Et un
extraordinaire entrechoquement métallique, comme
si on passait un poinçon sur les dents d'une scie et
ça, ça vient de la Sierra de pics toute dentelée de
glace là-haut au fond du ciel. Un instant, non, un
équilibre infime de silence après tout ça comme
il se doit pour laisser tomber enfin sur nous le
hurlement libre, éclatant, clair, comme d'un clairon
de la grande gueule sombre du tunnel. Ajax est sur
ses pieds d'un bond. Hector est là, Achille ferme ses
bras sur nous. Ils nous poussent femmes et enfants
dans la maison. Sacha hurle. Claire tombe. Primo
prend au vol dans ses bras la corbeille des bessonnes. Vladimir et Paul sont sous nos pieds,
Achille de tout son poids sur la porte la ferme et,
c'est de derrière les vitres qui tremblent, puis
s'étoilent, puis se cassent, puis volent en éclats,
de derrière nos bras devant nos yeux que nous
voyons le reste.

Trois flots ronds de fumée sortirent du tunnel.
Le premier était d'un bleu azur qui trancha tout
d'un coup en éclair sur le rocher rouge. L'autre
flot était blanc comme la neige et il fut bavé dans
les arbres de la forêt. Il n'avait pas fini de se déchirer dans les branches que sortit l'énorme flot noir,
épais comme de la boue et celui-là s'avança droit

devant lui, en roulant, se démultipliant en
énormes roues de boue, flagellant tout d'éclats de
pierre et d'éclats de bois. Un tronçon de rail
arriva jusqu'à nous en voletant comme un aigle
blessé et il s'enfonça dans la terre du pâturage où
il resta planté, gloussant comme une corde de
harpe. Les éclats de roches frappaient notre toit
de tôle et nos murs de bois. Nous avions tous
courbé le dos et rentré la tête dans les épaules. On
vit passer très haut dans le ciel, indolentes et
battant faiblement de l'aile, d'épaisses traverses de
chemin de fer qui plongèrent par-dessus nous, dans
les abîmes là-bas derrière. Le cèdre devant notre
porte était plumé de la moitié de ses branches. La
maison reçut un énorme coup dans ses fins fonds.
On entendit craquer le mur. Une grosse pierre à
bout de course vint frapper contre la porte. Les
dernières vitres sautèrent. Au-dessus de l'âtre, le
zinc de la toiture soulevé coupa un triangle de ciel.
Au moment où l'on s'y attendait le moins toute la
batterie de cuisine s'effondra. Les tuyaux de poêle
déboîtés sautèrent sur la table et sur le plancher
nerveusement comme des chèvres noires. Le portrait de Garibaldi tomba. Mystère même : l'évier
remugla un hoquet d'eau. Une pile d'assiettes
glissa, mais s'arrêta au bord de la table. Dehors
l'énorme jaillissement de bruit éparpillé aux quatre
coins du ciel s'apaisa en sifflotement de bouilloire.
Le mur s'arrêta de trembler. Dans le cadre de la
fenêtre un morceau de mastic se détacha, mais
s'arrêta de tomber et resta suspendu. Nous bais-
sâmes nos bras et sortîmes nos cous de nos épaules.

Mais il y avait une drôle d'odeur. Marécage!
Poisson, un énorme poisson! L'odeur des poissons,
quand on racle leurs écailles, qu'on leur ouvre le

ventre, qu'on les fait dégorger. L'odeur d'une
énorme assiette de poissons. De poissons de vase.
L'odeur de vieilles carpes. Nous reniflions. Une
odeur d'eau. L'odeur de Terso quand il était revenu
de sa pêche à la barbe flottante. L'odeur de l'eau
souterraine. Une terriblement grande odeur d'eau.
Ajax se sécha le nez entre son pouce et son index.
Elle arrivait de plus en plus forte. Et à la fin, si
forte qu'elle nous glaçait le fond du nez, comme
un petit cristal de glace. De l'œil, Ajax avait refait
équipe avec Hector et Achille, il avait déjà fait
signe vers la porte et ils allaient sortir quand on
entendit un autre bruit et ils firent de nouveau
face à la fenêtre avec nous. C'était la lettre A, mais
prononcée par une voix dont la force allait frapper
à cinquante kilomètres de nous, là dans les monts
de l'autre côté de la vallée. En bien regardant vers
le tunnel là-haut, on le voyait bouché par une sorte
de haillon pantelant, bleuâtre. En même temps,
quelque chose était en train de se passer dans la
forêt. Juste sous le tunnel, il semblait qu'on essayait
de déraciner les arbres en les ébranlant par la
base. On les voyait se balancer, puis battre violemment de droite et de gauche, enfin ils s'écrou-
lèrent les uns sur les autres et l'on vit peu à peu
s'ouvrir à travers eux à force d'écroulements,
d'ébranchements, de renversements cul par-dessus
tête avec les cent mille éclairs des troncs écorcés
qui sautaient jusque par-dessus le dôme de la
forêt, on vit s'ouvrir une large tranchée. Toujours
cette lettre A prononcée par la grande bouche.
Enfin, crevant la lisière là-haut, puis emportant le
dernier rempart d'arbres, une énorme masse d'eau
chargée de troncs détruits, charriant une immense
lourdeur de branches et de feuillage, une énorme

masse d'eau, épaisse, écumant et sautant, roula
dans la prairie. Elle ne fit vers nous qu'un geste
furtif, qui nous arrêta le sang et le souffle, puis elle
se décida par la gauche au saut dans l'abîme et, au
bout de dix secondes éternelles, on entendit monter
du fond son éclatant tambour.

C'est un peu après que, malgré tout, notre vie
revint. Les uns derrière les autres, derrière Ajax, on
s'aventura dehors puis, pas à pas, du côté de ce
fleuve de montagne. Il était d'une graisse et d'une
rage terribles et il nous arrêta à bonne distance en
faisant passer sous nos yeux une petite locomotive
à air comprimé qui sautait dans ses eaux comme un
saumon. On vint cependant jusqu'au rebord du val.
En bas, dessous, le flot tapait au fond dans un
extraordinaire écarquillement d'arc-en-ciel neuf.
Et plus loin, dans la vallée, étalée comme du
plomb fondu sur tout un rapiéçage d'éteules et de
prés, l'eau faisait tourner en l'emportant avec
aisance ce qu'Ajax nous dit être — il regarda à la
jumelle — le baraquement des comptables.

Nous n'avions pas bougé devant cent merveilles
semblables à chaque instant renouvelées, et il
devait être midi quand, derrière nous, une voix
demanda :

— Où est-il?

C'était la vieille femme. Elle était couverte de
boue des pieds à la tête. Ses cheveux boueux décou-
vraient une tonsure de chair blanche.

— Il est parti ce matin à deux heures, dit Ajax.

— Où?

— En Norvège.

— Qui a fait ça?

— Nous, dit Ajax.

— Nommément.

— Tous.

— Quand?

— Au changement d'équipe.

— Avec quoi?

— Un explosif qu'il a découvert.

— Découvert, dit la vieille femme en ricanant. Charge double?

Ajax en silence fit non de la tête.

— Simple?

— Demi-charge.

— Tu as fait des contre-feux en ciment?

— Même pas, dit Achille.

— Vous aviez laissé des surveillants à l'avancée?

— Bien sûr que non, dit Ajax.

— Personne dans le tunnel?

— Pas un chat, dit Primo. J'ai vérifié.

— Qui a sonné de la trompe?

— Savorgnan, dit Ajax.

— Où est-il?

— Là-haut, dit Ajax.

Et il lui passa les lorgnettes et il lui désigna une petite entablure de roches sur laquelle, même à l'œil nu, on voyait une silhouette noire.

Elle baissa les lunettes. Elle nous regarda, elle aussi, à l'œil nu.

— Asseyez-vous, dit-elle.

Toute la famille s'assit dans l'herbe. C'était le conseil de guerre sur le champ même de la bataille; la vieille femme allait donner ses ordres.

Je l'entendis qui grommelait : « Génie! Sauvage et imbécile comme son père. Oui! Encore deux ou trois coups de génie comme ça et on pêchera la baleine autour du Mont Blanc! » Elle se dressa.

— Tiens, dit-elle ouvrant son poing, jetant le bracelet et la bague à Primo, montrant son bras maigre et son doigt maigre. Tu mettras ces deux choses-là à ma taille. J'ai failli les perdre!

Elle nous tourna le dos pour s'en aller, mais nous restâmes assis et, elle aussi, après trois pas, elle retomba assise dans l'herbe.

Nous venions tous de recevoir, elle et nous, notre première leçon de poésie.

DU MÊME AUTEUR

Romans-Récits-Nouvelles-Chroniques :

LE GRAND TROUPEAU.
SOLITUDE DE LA PITIÉ.
LE CHANT DU MONDE.
BATAILLES DANS LA MONTAGNE.
L'EAU VIVE.
UN ROI SANS DIVERTISSEMENT.
LES ÂMES FORTES.
LES GRANDS CHEMINS.
LE HUSSARD SUR LE TOIT.
LE MOULIN DE POLOGNE.
LE BONHEUR FOU.
ANGELO.
NOÉ.
DEUX CAVALIERS DE L'ORAGE.
ENNEMONDE ET AUTRES CARACTÈRES.
L'IRIS DE SUSE.
POUR SALUER MELVILLE.

Essais :

REFUS D'OBÉISSANCE.
LE POIDS DU CIEL.
NOTES SUR L'AFFAIRE DOMINICI, *suivies d'un* ESSAI SUR
   LE CARACTÈRE DES PERSONNAGES.

Histoire :

LE DÉSASTRE DE PAVIE.

Voyage :

VOYAGE EN ITALIE.

Dernières parutions

Cet ouvrage
a été achevé d'imprimer
sur les presses de l'Imprimerie Floch
à Mayenne le 30 novembre 1973.
Dépôt légal : 4ᵉ trimestre 1973.
Nº d'édition : 18624.
Imprimé en France.
(12189)

18624